New Approach to Motion Taping

모두를 위한
모션 테이핑

한국모션테이핑학회

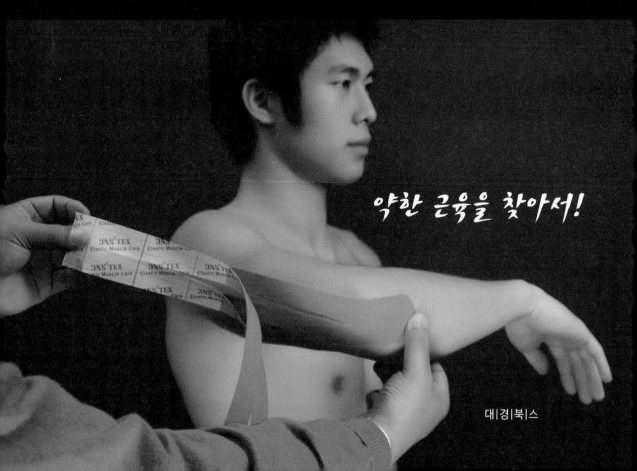

약한 근육을 찾아서!

대경북스

모두를 위한 **모션 테이핑**

1판 1쇄 인쇄 2023년 6월 10일
1판 1쇄 발행 2023년 6월 15일

지은이 한국모션테이핑학회

발행인 김영대
펴낸 곳 대경북스
등록번호 제 1-1003호
주소 서울시 강동구 천중로42길 45(길동 379-15) 2F
전화 (02) 485-1988, 485-2586~87
팩스 (02) 485-1488
홈페이지 http://www.dkbooks.co.kr
e-mail dkbooks@chol.com

ISBN 978-89-5676-959-2

머 리 말

한국모션테이핑학회를 창립한 지 어느덧 10년 이상의 시간이 흘렀습니다. 그간 한국모션테이핑학회는 학회로서의 사회적 책무를 다하고자 노력하였으며, 연구 결과물로 2010년 《모션테이핑 I 》을 필두로 2011년 《모션테이핑 II 》, 2014년과 2018년 《모션테이핑 합본개정판》을 발간한 바 있습니다.

금번 그간의 연구활동을 집대성하여 《New Approach to Motion Taping - 모두를 위한 모션 테이핑》을 출판하게 되어 학회 임원진 및 집필진 일동은 기쁨과 자부심을 금할 수 없습니다.

학회 창립 초기부터 교육이나 출판 시 임원진이 가장 많이 고민한 부분은 '누구나 활용할 수 있는' 테이핑 기법의 전달이었습니다. 그러나 막상 출판하고 보니 오히려 전문가들에게 유용한 부분이 더 많았습니다. 이 책에서는 그간의 출판물에서 축적된 자료를 최대한 활용하여 정보전달을 쉽고 빠르게 할 수 있는 방법을 찾으려고 노력하였습니다.

가장 큰 변화는 이전 체제에서는 ROM 측정법이 앞부분에 별도로 제시되고 해부도와 테이핑 기법에 관한 설명이 구분되어 있었지만, 이 책에서는 하나의 동작 항목 내에 ROM 측정법, 해부도, 테이핑 기법을 일관적으로 제시하였다는 점입니다. 따라서 각 관절의 동작 항목을 펼치게 되면 ROM 측정법이 제시되고, 이어서 왼쪽 페이지에 해부도, 오른쪽 페이지에 해당 근육에 대한 테이핑 기법이 소개되어 있습니다. 또한 기능이나 위치가 유사한 근육 간의 비교 테이핑 결과를 제시함으로써 테이핑 결과에 대한 평가를 쉽게 할 수 있도록 배려하였습니다.

모쪼록 이 책이 모션테이핑, 나아가 탄력적 테이핑 기법의 발전과 대중화에 큰 도움이 되기를 바라며, 《모션테이핑Ⅱ》 머리말 일부를 다시 되새기면서 집필진의 마음을 대신합니다.

"2000년대가 저물 무렵 갑자기 카세 겐조(加瀨建造) 선생(先生)이 한국지사를 철수한 것은 지금에 와서 보면 우리에겐 커다란 행운이었다. 일본에서 개발된 이론과 방법을 거의 그대로 임상 및 스포츠현장에 적용시켰던 단계에서 벗어나야 한다는 것을 알고 있었음에도 차일피일 독자적인 방법에 대한 개발을 미루었던 것이 사실이다. … (중략) … 저자들은 우리 스스로 개발한 테이핑 기법에 만족하지만, 현재의 만족에 머물지만은 않을 것이다. 더불어 우리가 개발한 기법보다 더 훌륭한 테이핑 기법이 국내에서 개발되기를 간절히 소망(所望)한다. 우리보다 더 나은 테이핑 기법의 출현을 기대하며 감히 충고한다면 '처음 테이핑이 개발된 기본적인 원론에 충실'하기를 바란다."

끝으로 출판을 기꺼이 허락해주신 대경북스 김영대 대표와 편집부 직원들에게 감사의 마음을 전합니다.

2023년 성하(盛夏)를 기다리며
집필진 일동

차 례

1부
Motion Taping이란

모션테이핑이란 약해진 근육때문에 움직임에 제한이 있을 때 근육과 유사한 탄성을 가진 테이프를 붙임으로써 근육의 기능을 정상화시켜 본래의 움직임을 회복하는 기법이다.

Muscle is one of the most plastic tissue in the body…

1960년 George J. Goodheart 박사는 "근육에 적극적으로 작용한다"는 개념으로 Applied Kinesiology를 제시하였다. 이 이론은 당시로서는 매우 새로운 개념으로 많은 의사와 학자들의 주목을 받았으며, 다양한 근육 치료법 개발의 기초가 되었다. 1988년 David S. Walther 박사는 Applied Kinesiology의 등장 이후 개발된 근육 치료법을 집대성하여 'Applied Kinesiology Synopsis'라는 지침서를 발간하였다. 이 책에서 저자는 수축, 강직, 경직된 근육을 대상으로 이완시키고, 풀고, 완화시키는 방법은 매우 많지만 약해진 근육을 대상으로 적용할 수 있는 방법은 많지 않다고 하였다. 또한 약해진 근육이 전체적인 장애를 유발하며, 구축된 근육이나 경직은 신체 균형을 유지하기 위한 보상적 현상이므로 근육의 이상이 움직임 제한의 원인일 경우 가장 약화된 근육을 찾아서 강화해 주는 방법이야 말로 최선이자 성공적인 방법이라고 추천하였다.

부끄러운 부분은 가리고, 상처 받은 부분은 붙이고…

날카로운 물체에 베여서 피가 나면 먼저 피를 닦아내고 주위를 눌러서 피가 멈추게 할 것이다. 피가 멈추고 나면 거즈와 반창고로 상처를 보호할 것이다. 거즈와 반창고를 구할 수 없다면 하다못해 휴지를 이용해서라도 상처 주위를 둘러

싸서 상처를 가리고 보호하려고 할 것이다.

　마치 본능처럼 인간이 피부에 무엇인가를 붙여서 질병을 치료하는데 도움을 주고자 노력한 것은 매우 오래된 사실이다. 역사적으로 보면 피부의 손상으로 출혈이 있을 때 천조각이나 나뭇잎 또는 풀잎으로 상처를 감싸고, 종기나 부스럼에 약초를 바른 창호지를 붙여 치료하기도 하였다.

　과학기술의 발전으로 사용하기에 간편한 접착식 의료용품들이 개발되었으며, 붙이고 떼기가 간편한 접착식 의료용품은 대부분 직접적인 치료 효과보다는 상처 부위를 고정하거나 보호하려는 목적으로 사용되었다.

　1980년대에 이르러 인간이 피부에 무엇인가를 붙이고 떼는 치료행위에 획기적인 변화가 일어나게 된다. 미국에서 Chiropractic Doctor(D.C.M.) 면허를 취득한 일본인 카세 겐조(加瀨建造)는 독자적으로 개발한 탄력테이프에 약한 근육을 대신하는 인공근육의 개념을 도입하였으며, 여기에다 Kinesiology 이론을 결부시켜 '키네시오 테이핑'을 창안하였다. 또한 일본인 침구사인 다나카 노부나가(田中信孝)는 카세 겐조와 다르게 비탄력테이프를 이용하여 '스파이럴 밸런스(spiral balance)' 기법을 개발하고 경락 이론을 도입하여 '스파이럴 밸런스 테이핑'을 창안하였다.

　물론 그 이전에도 다친 관절이나 근육에 압박붕대나 반창고를 이용한 응급처치나 스포츠 현장에서 급성 손상에 대한 일차적 처치 또는 경기력 향상을 목적으로 한 스포츠 테이핑 등이 대중적으로 소개되어 있었다. 하지만 인간이 고정이나 보호의 목적으로 피부에 무엇인가를 붙이던 것에서 나아가 질병을 직접 치료하려는 목적으로 발전된 것은 1980년대 이후이다.

약한 근육을 찾아서…

1980년대 이후 외과 전문의, 정형외과 전문의, 신경외과 전문의, 물리치료사, 선수트레이너, 카이로프랙터 등에 의해 탄력테이프나 비탄력테이프를 이용해서 인체를 정상화시키려는 많은 연구와 시도가 이루어졌으며, 그 목적은 누구를 대상으로, 어느 부위에, 어떠한 테이프로, 어떤 자세로, 어떻게 붙이면 될까로 정리된다.

필자들 역시 임상 현장, 스포츠 현장, 자원봉사 현장 등에서 근골격계 환자, 운동선수, 장애인, 임산부, 노인 등을 대상으로 수십년 간 테이핑 기법을 적용하면서 그 목적에 대한 답을 찾으려고 노력하였으며, 동료 연구자들의 연구 결과를 열린 자세로 받아들이면서 감탄 섞인 칭찬과 열띤 비판으로 오랜 시간을 보내었다.

그 결과 약화된 근육에 인간의 근육과 같은 정도의 탄성을 가진 탄력테이프를 이용하여 근육의 기능을 정상화하고 자세 이상을 바로 잡을 수 있다는 사실은 쉽게 알 수 있었지만 약화된 근육을 찾는 방법을 놓고서는 갑론을박이 계속되었다.

특히 2000년 이후 국내에서도 테이핑 강좌가 민간단체나 협회 차원의 교양과정은 물론 대학교의 정규교과목으로도 개설되어 전문가는 물론 일반인들에게도 테이핑이 많이 알려지게 되었다. 필자들이 강좌 내용과 효과를 세밀하게 분석한 결과 대부분의 수강생들이 테이핑 기법 자체는 쉽게 배우고 있었다. 하지만 어떤 상황에서 테이핑을 해야 하는지에 대해서는 효과적인 교육이 부족하다는 사실을 알게 되었다. 의사나 물리치료사 등 전문가들은 질환 자체에 대한 전문지식을 바탕으로 어떤 상황에서 붙여야 하는지를 비교적 정확히 알고 있지만 일반

인들에게는 다소 힘든 부분이었다.

문제는 약화된 근육을 찾아내는 방법이었다. 오랜 고민 끝에 답을 찾게 되었는데, 그것은 관절가동범위, 즉 ROM(range of motion)이었다. 누구나 쉽게 약화된 근육을 찾는 방법, 바로 ROM이다. ROM을 이용해서 모션테이핑을 적용해 보자!

반드시 ROM Test를 실시한 후,

Who	누구나
When	움직임에 이상이 있을 때
Where	약한 근육에
What	품질 좋은 탄력테이프로
How	근육을 최대한 늘려서
Why	잘 나으니까

모션테이핑을 한다.

함께 해요, 모션테이핑!

뼈나 관절에 구조적인 문제가 생겨서 교정치료를 받는다면 치료 후 모션테이핑을 적용하면 치료 효과가 더 오래 지속될 수 있다. 의료기관에서 물리치료를 받는 경우에도 물리치료 후 모션테이핑을 적용하면 더 효과적이다.

모션테이핑은 기본적으로 약화된 근육에 적용하는 기법이기 때문에 모션테이핑을 적용한 근육에 근력운동과 같은 운동요법을 병행한다면 당연히 효과가 더클 것이다.

모션테이핑을 적용한 부위에 염증이 있을 경우에는 냉온팩을 같이 적용하면좋다.

주의해요, 모션테이핑!

모션테이핑을 하기에 앞서,
①피부를 깨끗하게 한다.
②피부에 습기가 남아 있지 않도록 닦는다.
③ 알러지성 체질을 확인한다. 특히 얼굴부위에 대해서는 필수조건이다.
④ 다른 부위에 비해 상대적으로 민감한 부위에 테이핑을 할 경우 신중을 기하도록 한다.

모션테이핑을 하면서,
⑤ 테이핑 대상 근육은 최대한 늘리고, 반면 테이프는 늘리지 않고 원래 길이그대로 붙인다. 따라서 근육을 최대한 늘어뜨린 상태에서 테이프의 길이를잰 다음 자르도록 한다.
⑥ 테이프를 피부에 붙일 때는 피부와 최대한 밀착되도록 압박하면서 붙이고,테이프끼리 겹쳐서 붙지 않도록 한다.
⑦ 테이핑을 하고 편안한 자세를 취하게 되면 테이프의 주름이 보여야 한다.

모션테이핑을 하고 나서,

⑧ 가렵거나 불편하다면 즉시 떼어내도록 한다.

⑨ 테이핑을 한 상태로 목욕이나 샤워를 해도 된다. 다만 목욕이나 샤워를 마친 후에 마른 수건으로 가볍게 두드려서 물기를 제거하면 체온으로 자연건조된다. 만약 빠르게 건조시키려면 드라이기나 선풍기를 이용해도 된다. 특히 테이프의 끝부분이 완전히 마르도록 한다.

⑩ 테이프를 떼어낼 때에는 피부에서 테이프를 떼어낸다는 느낌보다는 테이프에서 피부를 떼어내는 느낌으로 한손은 테이프를 잡고 다른 한손으로 피부를 누르면서 떼어낸다.

⑪ 피부에 털이 많은 경우 털이 난 방향을 따라 천천히 떼어낸다.

⑫ 다른 부위에 비해 상대적으로 피부가 약한 부위의 경우 테이핑을 할 때는 물론 테이프를 떼어낼 때에도 신중을 기하도록 한다.

⑬ 잠을 자면서도 통증이 있는 경우에는 테이핑을 한 상태로 취침한다. 그러나 원칙적으로는 주간에 테이핑을 하고, 취침 시에는 떼어내도록 한다.

Who	누구나
When	움직임에 이상이 있을 때
Where	약한 근육에
What	품질 좋은 탄력테이프로
How	근육을 최대한 늘려서
Why	잘 나으니까

모션테이핑을 한다.

2부
ROM 테스트와
모션 테이핑 기법

제1장 상체 테이핑

8관절 43근육

목관절(6 ROM, 5 Muscles)

①굽힘이 안 될 때	양쪽 목빗근
②폄이 안 될 때	위등세모근/뒤목근
③왼쪽가쪽굽힘이 안 될 때	왼쪽 앞목갈비근/중간목갈비근
④오른쪽가쪽굽힘이 안 될 때	오른쪽 앞목갈비근/중간목갈비근
⑤왼쪽돌림이 안 될 때	오른쪽 목빗근
⑥오른쪽돌림이 안 될 때	왼쪽 목빗근

어깨관절(8ROM, 8Muscles)

①굽힘이 안 될 때	앞어깨세모근/부리위팔근
②폄이 안 될 때	뒤어깨세모근/넓은등근/큰원근
③모음이 안 될 때	큰가슴근/넓은등근
④벌림이 안 될 때	중간어깨세모근/가시위근
⑤안쪽돌림이 안 될 때	넓은등근/큰원근/큰가슴근
⑥가쪽돌림이 안 될 때	가시아래근/작은원근
⑦수평모음이 안 될 때	큰가슴근
⑧수평벌림이 안 될 때	뒤어깨세모근

어깨가슴관절(6ROM, 5Muscles)

①내밈이 안 될 때	앞톱니근/작은가슴근
②들임이 안 될 때	중간등세모근/마름근
③올림이 안 될 때	위등세모근/어깨올림근
④내림이 안 될 때	아래등세모근/작은가슴근
⑤위쪽돌림이 안 될 때	위등세모근/아래등세모근/앞톱니근
⑥아래쪽돌림이 안 될 때	마름근/어깨올림근/작은가슴근

팔꿉관절(4ROM, 4Muscles)

①굽힘이 안 될 때	위팔두갈래근
②폄이 안 될 때	위팔세갈래근
③엎침이 안 될 때	엎침근
④뒤침이 안 될 때	뒤침근/위팔두갈래근

손목관절(4ROM, 5Muscles)

①굽힘이 안 될 때	노쪽손목굽힘근/자쪽손목굽힘근/긴손바닥근
②폄이 안 될 때	긴노쪽손목폄근/자쪽손목폄근
③노쪽굽힘이 안 될 때	긴노쪽손목폄근/노쪽손목굽힘근
④자쪽굽힘이 안 될 때	자쪽손목굽힘근/자쪽손목폄근

손가락관절(2ROM, 5Muscles)

①굽힘이 안 될 때	얕은손가락굽힘근/깊은손가락굽힘근
②폄이 안 될 때	손가락폄근/집게폄근/새끼폄근

엄지손가락관절(5ROM, 7Muscles)

①굽힘이 안 될 때	긴엄지굽힘근/짧은엄지굽힘근
②폄이 안 될 때	긴엄지폄근/짧은엄지폄근
③모음이 안 될 때	엄지모음근
④벌림이 안 될 때	긴엄지벌림근
⑤맞섬이 안 될 때	엄지맞섬근

가슴·허리관절(6ROM, 5Muscles)

①굽힘이 안 될 때	배곧은근
②폄이 안 될 때	척주세움근
③왼쪽가쪽굽힘이 안 될 때	왼쪽 허리네모근
④오른쪽가쪽굽힘이 안 될 때	오른쪽 허리네모근
⑤왼쪽돌림이 안 될 때	오른쪽 배바깥빗근/왼쪽 내속빗근
⑥오른쪽돌림이 안 될 때	왼쪽 배바깥빗근/오른쪽 배속빗근

1. 목관절

6 ROM, 5 Muscles	
ROM	작용근육
굽힘(굴곡)	양쪽 목빗근(흉쇄유돌근)
폄(신전)	양쪽 위등세모근(상승모근)/뒤목근(후경근)
왼쪽가쪽굽힘(좌측굴)	왼쪽 앞목갈비근/중간목갈비근(좌측 전사각근/중사각근)
오른쪽가쪽굽힘(우측굴)	오른쪽 앞목갈비근/중간목갈비근(우측 전사각근/중사각근)
왼쪽돌림(좌회전)	오른쪽 목빗근(흉쇄유돌근)
오른쪽돌림(우회전)	왼쪽 목빗근(흉쇄유돌근)
뒤목근, 목빗근, 앞목갈비근, 위등세모근, 중간목갈비근	

Memo

1) 굽힘과 폄이 안 될 때

(1) ROM Test

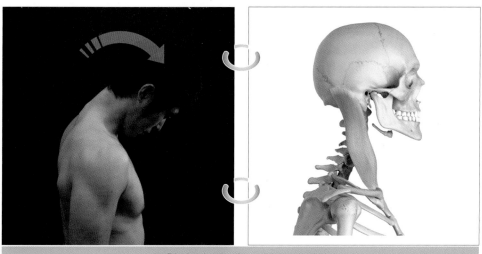

굽힘이 안 될 때 → 양쪽 목빗근

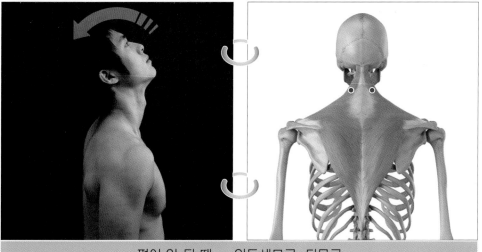

폄이 안 될 때 → 위등세모근, 뒤목근

(2) 굽힘(굴곡, flexion)이 안 될 때

목빗근(흉쇄유돌근, Sternocleidomastoid)

목의 가쪽을 비스듬히 주행하는 큰 근육으로 쇄골갈래와 흉골갈래의 2 갈래로 나누어진다. 2갈래는 뒤통수뼈 위목덜미선쪽으로 가면서 서서히 합쳐진다.

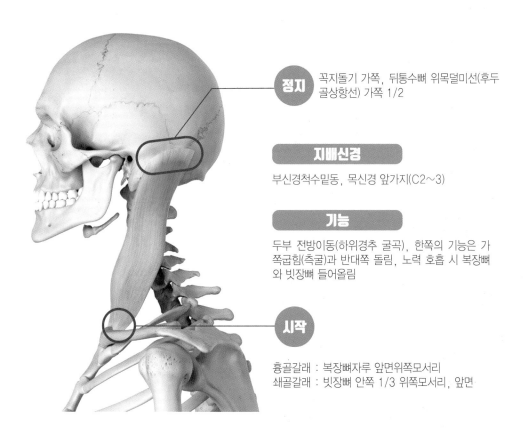

정지 꼭지돌기 가쪽, 뒤통수뼈 위목덜미선(후두 골상항선) 가쪽 1/2

지배신경

부신경척수밑동, 목신경 앞가지(C2~3)

기능

두부 전방이동(하위경추 굴곡), 한쪽의 기능은 가 쪽굽힘(측굴)과 반대쪽 돌림, 노력 호흡 시 복장뼈 와 빗장뼈 들어올림

시작

흉골갈래 : 복장뼈자루 앞면위쪽모서리
쇄골갈래 : 빗장뼈 안쪽 1/3 위쪽모서리, 앞면

굽힘이 안 될 때
목빗근(왼쪽) 테이핑 기법

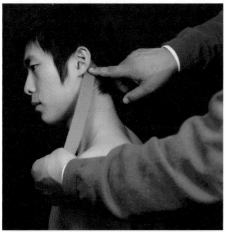

1. 테이프의 시작점을 꼭지돌기(유양돌기)에 고정한다.

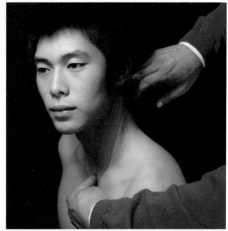

2. 목(또는 턱)을 테이프 부착방향인 왼쪽으로 돌린 자세에서 테이프의 끝점을 복장뼈(흉골,가슴뼈) 끝지점에 부착한다.

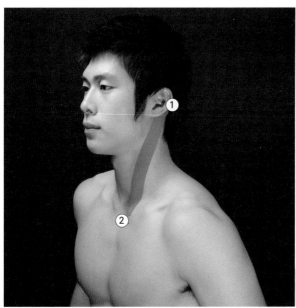

3. 완성 이미지(①꼭지돌기~②복장뼈). 오른쪽도 동일하게 적용한다(p.41 참조).

(3) 폄(신전, extension)이 안 될 때

1 위등세모근(상승모근, Upper Trapezius)

목 뒤쪽부터 등쪽에 걸쳐 있는 삼각형의 근육으로 위섬유, 중간섬유, 아래섬유로 구성된다. 반대쪽 근육과 합쳐지면 마름모꼴이 된다.

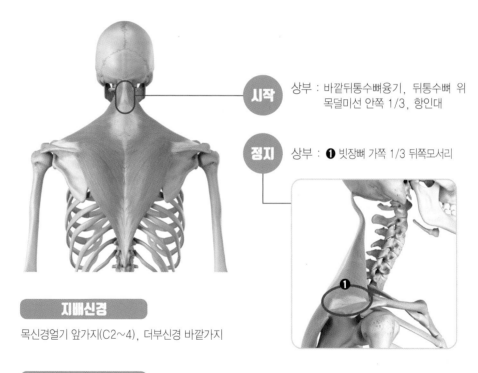

시작 상부 : 바깥뒤통수뼈융기, 뒤통수뼈 위 목덜미선 안쪽 1/3, 항인대

정지 상부 : ❶ 빗장뼈 가쪽 1/3 뒤쪽모서리

지배신경

목신경얼기 앞가지(C2~4), 더부신경 바깥가지

기능

전체 : 어깨뼈 위쪽돌림 · 모음
상부 : 어깨뼈 올리기, 한쪽 빗장뼈 올리기 · 후퇴, 두경부 폄

펼이 안 될 때 1
위등세모근(왼쪽) 테이핑 기법

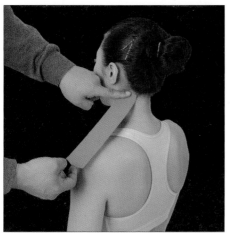

1. 테이프의 시작점을 뒷머리의 머리선에 고정
한다.

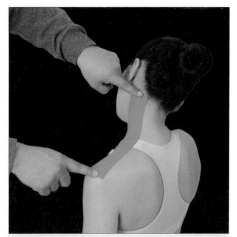

2. 목을 오른쪽으로 돌린 자세에서 테이프의 끝점
을 어깨봉우리(견봉)에 부착한다.

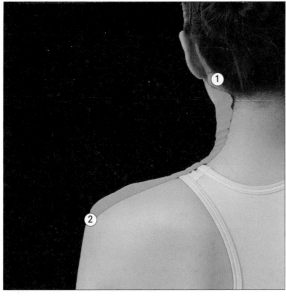

3. 완성 이미지(①뒷머리의 머리선~②어깨
봉우리). 오른쪽도 동일하게 적용한다
(p.101 참조).

② 뒤목근(후경근, Posterior Cervical Muscles)

머리반가시근, 목반가시근, 머리가장긴근, 뭇갈래근, 회전근 등으로 이루어진 근육무리로 목의 세밀한 운동을 돕고 몸의 자세를 유지하는 중요한 근육이다.

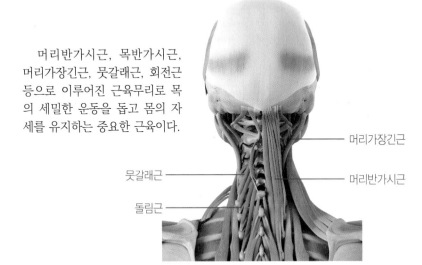

- 머리가장긴근
- 머리반가시근
- 뭇갈래근
- 돌림근

머리반가시근(두반극근, Semispinalis Capitis)
- 시작 : 제4~6목뼈 관절돌기, 제1~6(7)등뼈 가로돌기
- 정지 : 뒤통수뼈의 위아래목덜미선 사이
- 지배신경 : 목신경의 등쪽가지
- 기능
  - 양쪽수축시 : 머리 폄, 목의 폄에는 직접 관계하지 않음, 몸통 굽힘시 머리를 중력에 반해 조절
  - 한쪽수축시 : 머리 가쪽굽힘

목반가시근 (경반극근, Semispinalis Cervicis)
- 시작 : 제1~5(6)등뼈 가로돌기
- 정지 : 제2~5목뼈 가시돌기
- 지배신경 : 가슴신경의 등쪽가지
- 기능
  - 양쪽수축시 : 목 폄, 목뼈 움직임의 지지대 역할
  - 한쪽수축시 : 목의 반대쪽 돌림

머리가장긴근 (두최장근, Longussimus capitus)
- 시작 : 아래 3(4)개의 목뼈 관절돌기, 위쪽 4(5)개의 목뼈 관절돌기
- 정지 : 꼭지돌기의 뒤쪽 경계
- 지배신경 : 척수신경
- 기능
  - 양쪽수축시 : 척추 폄
  - 한쪽수축시 : 척추 가쪽굽힘, 머리 목 같은쪽 돌림

뭇갈래근/돌림근(다열근, Mulitfidi/ 회전근, Rotatores)
- 시작 : 고리뼈(C1) 가로돌기의 앞쪽 표면
- 정지 : 뒤통수뼈의 바닥부 아래 표면
- 지배신경 : 척수신경의 등쪽가지
- 기능
  - 양쪽수축시 : 척추 폄
  - 한쪽수축시 : 척추 반대쪽 돌림, 척추 가쪽굽힘 (뭇갈래근)

폄이 안 될 때 2
뒤목근 테이핑 기법

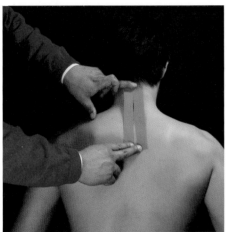

1. 머리털 끝부분 중앙에 테이프의 시작점을 고정한다.

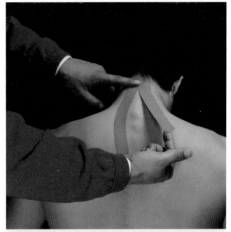

2. 목을 앞으로 숙인 자세에서 테이프 양 끝점을 제4등뼈(T4 흉추) 가로돌기(횡돌기)에 부착한다.

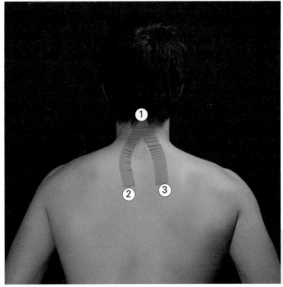

3. 완성 이미지(①머리털 끝부분~②왼쪽 제4등뼈 가로돌기/③오른쪽 제4등뼈 가로돌기)

Memo

2) 왼쪽/오른쪽가쪽굽힘이 안 될 때

(1) ROM Test

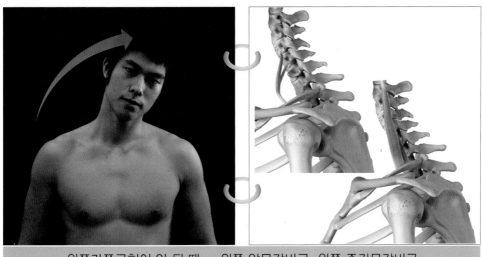

왼쪽가쪽굽힘이 안 될 때 → 왼쪽 앞목갈비근, 왼쪽 중간목갈비근

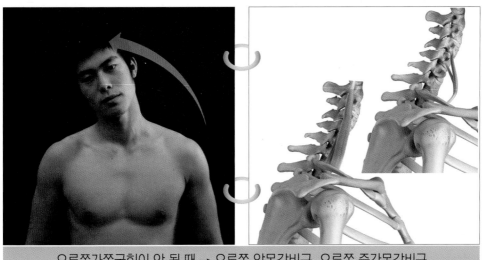

오른쪽가쪽굽힘이 안 될 때 → 오른쪽 앞목갈비근, 오른쪽 중간목갈비근

(2) 왼쪽가쪽굽힘(좌측굴, left lateral flexion)이 안 될 때

① 왼쪽 앞목갈비근(전사각근, Scalenus anterior)

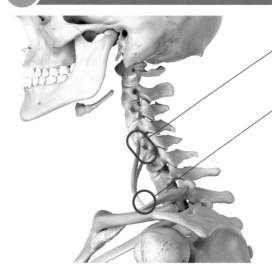

시작 C3~6 가로돌기 앞결절

정지 첫번째 갈비뼈 안쪽모서리의 앞목갈리근 결절, 첫번째 갈비뼈 윗면의 융기

지배신경

목신경 앞가지(C5~7)

기능

첫번째 갈비뼈 올리기, 목뼈 굽힘(보조), 한쪽이 움직이면 같은 쪽으로 가쪽굽힘, 반대쪽으로 돌림

② 왼쪽 중간목갈비근(중사각근, Scalenus medius)

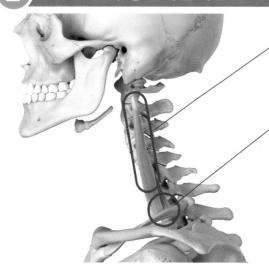

시작 C2~7 가로돌기뒤결절

정지 첫번째 갈비뼈 윗면(빗장밑동맥고랑 뒤쪽 융기)

지배신경

목신경 앞가지(C2~7)

기능

첫번째 갈비뼈 올리기, 목뼈 굽힘(보조), 한쪽이 움직이면 같은 쪽으로 가쪽굽힘

왼쪽가쪽굽힘이 안 될 때 1
왼쪽 앞목갈비근 테이핑 기법

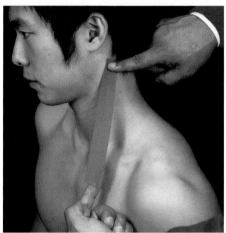

1. 테이프의 시작점을 제3목뼈(C3 경추) 가로돌기(횡돌기)에 고정한다.

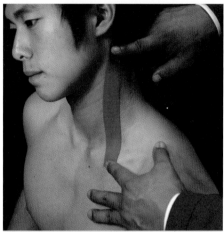

2. 목은 오른쪽으로 굽히고, 머리를 왼쪽으로 돌린 자세에서 테이프의 끝점을 제1갈비뼈(늑골) 안쪽 2/3 지점에 부착한다.

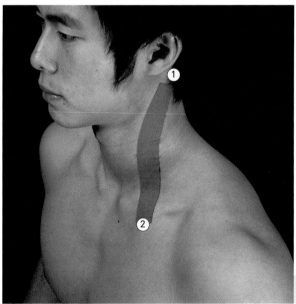

3. 완성 이미지(①제3목뼈 가로돌기~② 제1갈비뼈)

(2) 왼쪽가쪽굽힘(좌측굴, left lateral flexion)이 안 될 때

1 **왼쪽 앞목갈비근**(전사각근, Scalenus anterior)

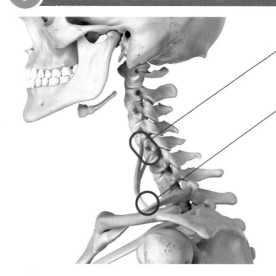

시작 C3~6 가로돌기 앞결절

정지 첫번째 갈비뼈 안쪽모서리의 앞목갈리근 결절, 첫번째 갈비뼈 윗면의 융기

지배신경

목신경 앞가지(C5~7)

기능

첫번째 갈비뼈 올리기, 목뼈 굽힘(보조), 한쪽이 움직이면 같은 쪽으로 가쪽굽힘, 반대쪽으로 돌림

2 **왼쪽 중간목갈비근**(중사각근, Scalenus medius)

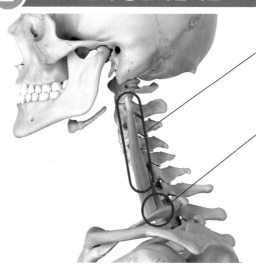

시작 C2~7 가로돌기뒤결절

정지 첫번째 갈비뼈 윗면(빗장밑동맥고랑 뒤쪽 융기)

지배신경

목신경 앞가지(C2~7)

기능

첫번째 갈비뼈 올리기, 목뼈 굽힘(보조), 한쪽이 움직이면 같은 쪽으로 가쪽굽힘

왼쪽가쪽굽힘이 안 될 때 2
왼쪽 중간목갈비근 테이핑 기법

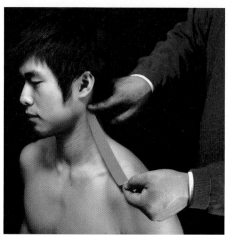

1. 테이프의 시작점을 제2목뼈(C2 경추) 가로돌기(횡돌기)에 고정한다.

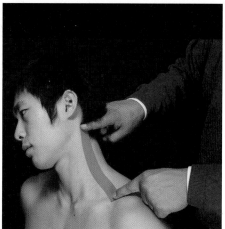

2. 목을 오른쪽으로 굽히고, 머리를 오른쪽으로 돌린 자세에서 테이프의 끝점을 제1갈비뼈(늑골) 위쪽에 부착한다.

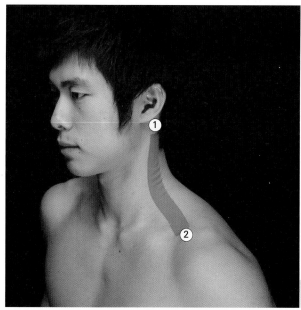

3. 완성 이미지(①제2목뼈 가로돌기~② 제1갈비뼈)

(3) 오른쪽가쪽굽힘(우측굴, right lateral flexion)이 안 될 때

① 오른쪽 앞목갈비근(전사각근, Scalenus anterior)

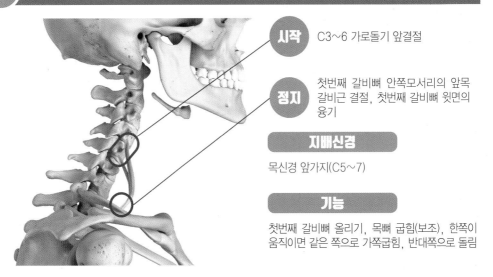

시작 C3~6 가로돌기 앞결절

정지 첫번째 갈비뼈 안쪽모서리의 앞목갈비근 결절, 첫번째 갈비뼈 윗면의 융기

지배신경

목신경 앞가지(C5~7)

기능

첫번째 갈비뼈 올리기, 목뼈 굽힘(보조), 한쪽이 움직이면 같은 쪽으로 가쪽굽힘, 반대쪽으로 돌림

② 오른쪽 중간목갈비근(중사각근, Scalenus medius)

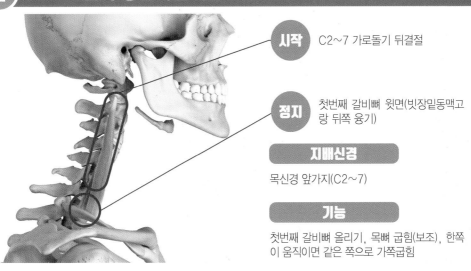

시작 C2~7 가로돌기 뒤결절

정지 첫번째 갈비뼈 윗면(빗장밑동맥고랑 뒤쪽 융기)

지배신경

목신경 앞가지(C2~7)

기능

첫번째 갈비뼈 올리기, 목뼈 굽힘(보조), 한쪽이 움직이면 같은 쪽으로 가쪽굽힘

오른쪽가쪽굽힘이 안 될 때 1
오른쪽 앞목갈비근 테이핑 기법

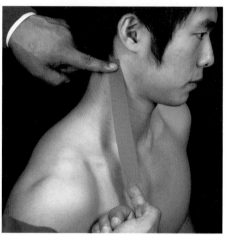

1. 테이프의 시작점을 제3목뼈(제3경추) 가로돌기(횡돌기)에 고정한다.

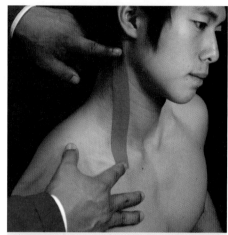

2. 목은 왼쪽으로 굽히고, 머리를 오른쪽으로 돌린 자세에서 테이프의 끝점을 제1갈비뼈(늑골) 안쪽 2/3 지점에 부착한다.

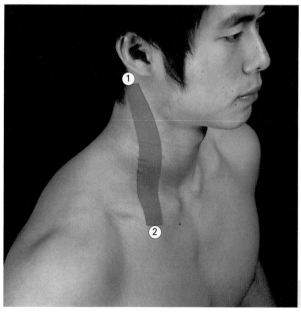

3. 완성 이미지(①제3목뼈 가로돌기~② 제1갈비뼈)

(3) 오른쪽가쪽굽힘(우측굴, right lateral flexion)이 안 될 때

① 오른쪽 앞목갈비근(전사각근, Scalenus anterior)

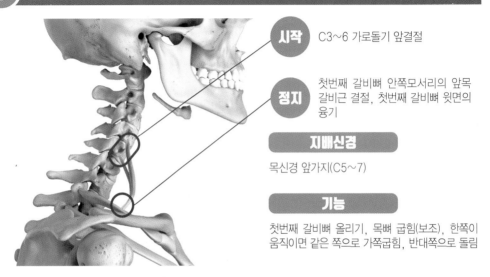

시작 C3~6 가로돌기 앞결절

정지 첫번째 갈비뼈 안쪽모서리의 앞목갈비근 결절, 첫번째 갈비뼈 윗면의 융기

지배신경

목신경 앞가지(C5~7)

기능

첫번째 갈비뼈 올리기, 목뼈 굽힘(보조), 한쪽이 움직이면 같은 쪽으로 가쪽굽힘, 반대쪽으로 돌림

② 오른쪽 중간목갈비근(중사각근, Scalenus medius)

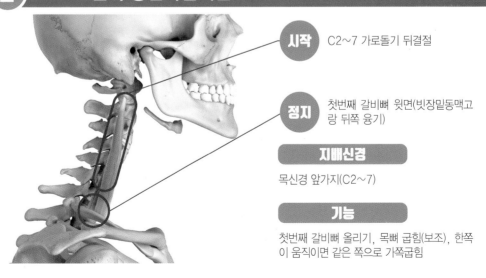

시작 C2~7 가로돌기 뒤결절

정지 첫번째 갈비뼈 윗면(빗장밑동맥고랑 뒤쪽 융기)

지배신경

목신경 앞가지(C2~7)

기능

첫번째 갈비뼈 올리기, 목뼈 굽힘(보조), 한쪽이 움직이면 같은 쪽으로 가쪽굽힘

오른쪽가쪽굽힘이 안 될 때 2
오른쪽 중간목갈비근 테이핑 기법

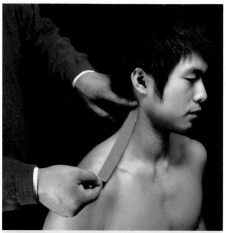

1. 테이프의 시작점을 제2목뼈(C2 경추) 가로돌기(횡돌기)에 고정한다.

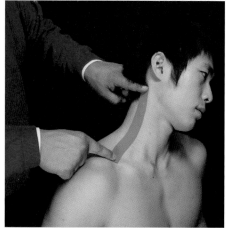

2. 목을 왼쪽으로 굽히고, 머리를 왼쪽으로 돌린 자세에서 테이프의 끝점을 제1갈비뼈(늑골) 위쪽에 부착한다.

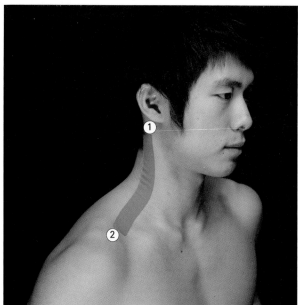

3. 완성 이미지(①제2목뼈 가로돌기~② 제1갈비뼈)

목관절 테이핑 비교

앞목갈비근 테이핑

중간목갈비근 테이핑

앞목갈비근과 중간목갈비근 테이핑

3) 왼쪽/오른쪽돌림이 안 될 때

(1) ROM Test

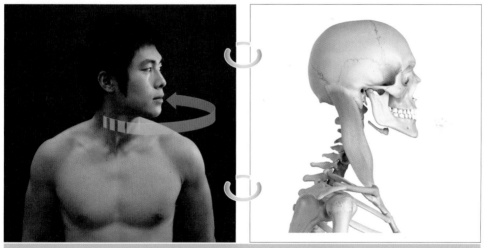

왼쪽돌림이 안 될 때 → 오른쪽 목빗근

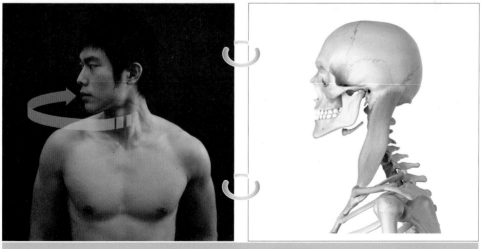

오른쪽돌림이 안 될 때 → 왼쪽 목빗근

(2) 왼쪽돌림(좌회전, left rotation)이 안 될 때

오른쪽 목빗근(흉쇄유돌근, Sternocleidomastoid)

목의 가쪽을 비스듬히 주행하는 큰 근육으로 쇄골갈래와 흉골갈래의 2갈래로 나누어진다. 2갈래는 뒤통수뼈 위목덜미선쪽으로 가면서 서서히 합쳐진다.

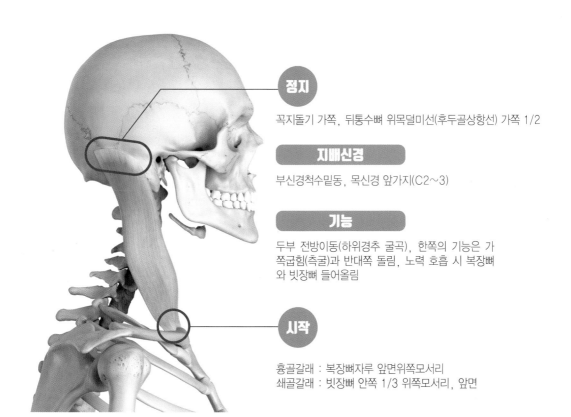

정지

꼭지돌기 가쪽, 뒤통수뼈 위목덜미선(후두골상항선) 가쪽 1/2

지배신경

부신경척수밑동, 목신경 앞가지(C2~3)

기능

두부 전방이동(하위경추 굴곡), 한쪽의 기능은 가쪽굽힘(측굴)과 반대쪽 돌림, 노력 호흡 시 복장뼈와 빗장뼈 들어올림

시작

흉골갈래 : 복장뼈자루 앞면위쪽모서리
쇄골갈래 : 빗장뼈 안쪽 1/3 위쪽모서리, 앞면

왼쪽돌림이 안 될 때
오른쪽 목빗근 테이핑 기법

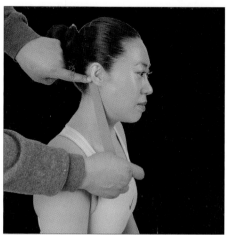

1. 테이프의 시작점을 꼭지돌기(유양돌기)에 고정한다.

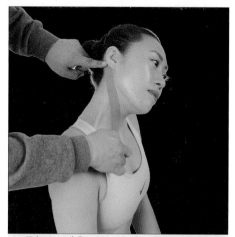

2. 목(또는 턱)을 테이프 부착방향인 오른쪽으로 돌린 자세에서 테이프의 끝점을 복장뼈(흉골, 가슴뼈) 끝지점에 부착한다.

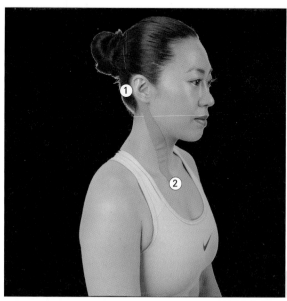

3. 완성 이미지(①꼭지돌기~②복장뼈)

(3) 오른쪽돌림(우회전, right rotation)이 안 될 때

왼쪽 목빗근(흉쇄유돌근, Sternocleidomastoid)

목의 가쪽을 비스듬히 주행하는 큰 근육으로 쇄골갈래와 흉골갈래의 2
갈래로 나누어진다. 2갈래는 뒤통수뼈 위목덜미선쪽으로 가면서 서서히
합쳐진다.

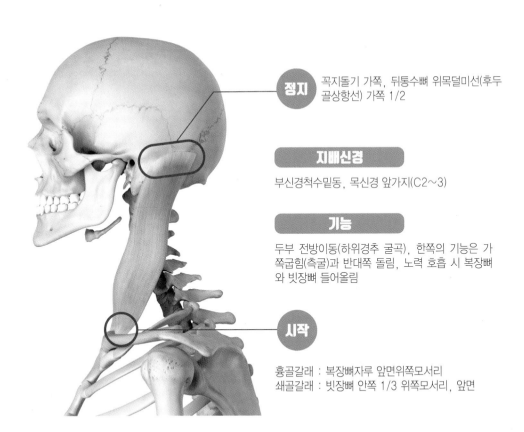

정지 꼭지돌기 가쪽, 뒤통수뼈 위목덜미선(후두
골상항선) 가쪽 1/2

지배신경

부신경척수밑동, 목신경 앞가지(C2~3)

기능

두부 전방이동(하위경추 굴곡), 한쪽의 기능은 가
쪽굽힘(측굴)과 반대쪽 돌림, 노력 호흡 시 복장뼈
와 빗장뼈 들어올림

시작

흉골갈래 : 복장뼈자루 앞면위쪽모서리
쇄골갈래 : 빗장뼈 안쪽 1/3 위쪽모서리, 앞면

오른쪽돌림이 안 될 때
왼쪽 목빗근 테이핑 기법

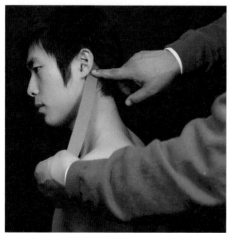

1. 테이프의 시작점을 꼭지돌기(유양돌기)에 고정한다.

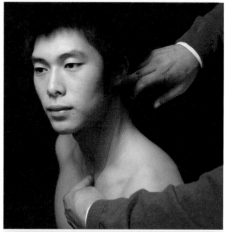

2. 목(또는 턱)을 테이프 부착방향인 왼쪽으로 돌린 자세에서 테이프의 끝점을 복장뼈(흉골,가슴뼈) 끝지점에 부착한다.

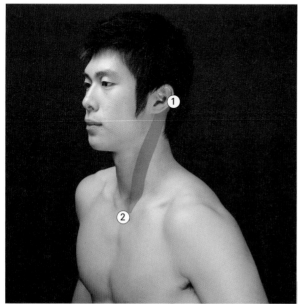

3. 완성 이미지(①꼭지돌기~②복장뼈)

Memo

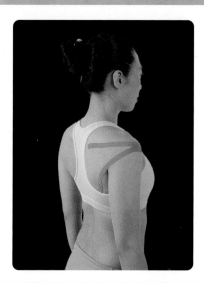

8 ROM, 8 Muscles	
ROM	작용근육
굽힘(굴곡)	앞어깨세모근(전삼각근)/부리위팔근(오훼완근)
폄(신전)	뒤어깨세모근(후삼각근)/넓은등근(광배근)/큰원근(대원근)
모음(내전)	큰가슴근(대흉근)/넓은등근(광배근)
벌림(외전)	중간어깨세모근(중삼각근)/가시위근(극상근)
안쪽돌림(내회전)	넓은등근(광배근)/큰원근(대원근)/큰가슴근(대흉근)
가쪽돌림(외회전)	가시아래근(극하근)/작은원근(소원근)
수평모음(수평내전)	큰가슴근(대흉근)
수평벌림(수평외전)	뒤어깨세모근(후삼각근)
가시아래근, 가시위근, 넓은등근, 부리위팔근, **어깨세모근(앞, 중간, 뒤), 작은원근, 큰가슴근, 큰원근**	

1) 굽힘과 폄이 안 될 때

(1) ROM Test

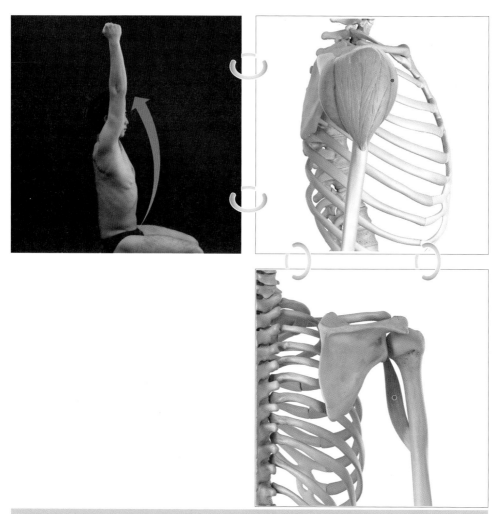

굽힘이 안 될 때 → 앞어깨세모근, 부리위팔근

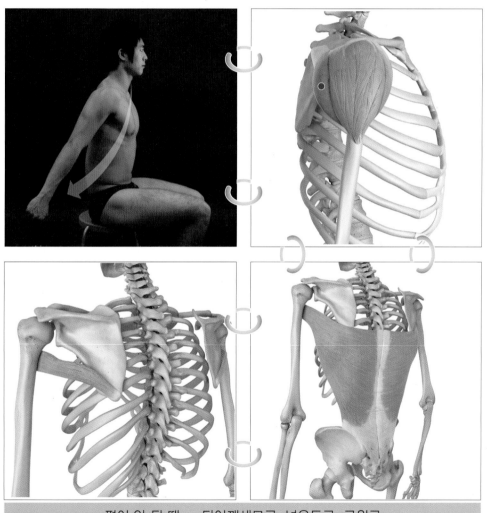

펴짐이 안 될 때 → 뒤어깨세모근, 넓은등근, 큰원근

(2) 굽힘(굴곡, flexion)이 안 될 때

1 앞어깨세모근(전삼각근, Deltoid anterior)

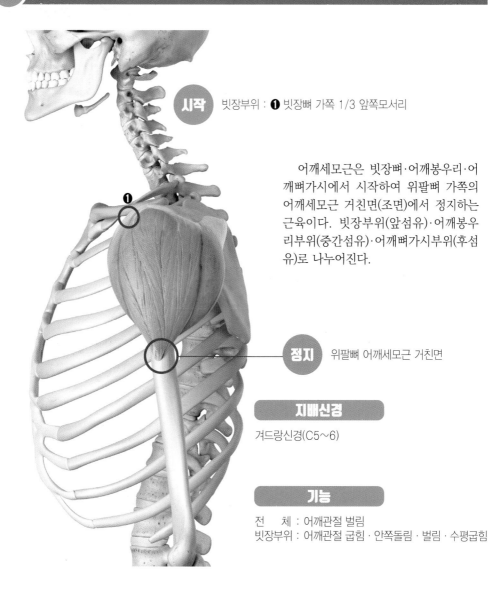

시작 빗장부위 : ❶ 빗장뼈 가쪽 1/3 앞쪽모서리

어깨세모근은 빗장뼈·어깨봉우리·어깨뼈가시에서 시작하여 위팔뼈 가쪽의 어깨세모근 거친면(조면)에서 정지하는 근육이다. 빗장부위(앞섬유)·어깨봉우리부위(중간섬유)·어깨뼈가시부위(후섬유)로 나누어진다.

정지 위팔뼈 어깨세모근 거친면

지배신경

겨드랑신경(C5~6)

기능

전   체 : 어깨관절 벌림
빗장부위 : 어깨관절 굽힘 · 안쪽돌림 · 벌림 · 수평굽힘

굽힘이 안 될 때 1
앞어깨세모근 테이핑 기법

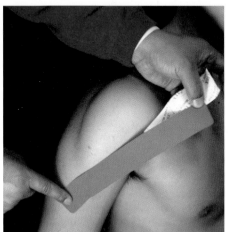

1. 테이프의 시작점을 위팔뼈(상완골) 위쪽에 고
   정한다.

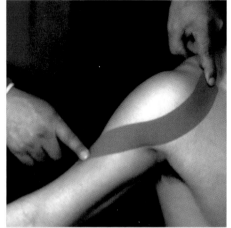

2. 팔을 펴서 가쪽(바깥쪽)으로 돌린 자세에서 빗
   장뼈(쇄골) 가쪽 1/3 방향으로 테이프의 끝점
   을 부착한다.

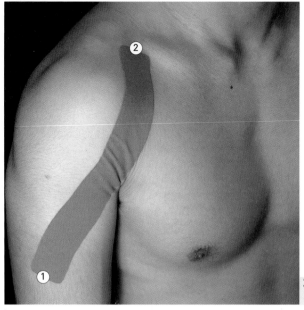

3. 완성 이미지(①위팔뼈 거친면~②빗
   장뼈)

② 부리위팔근(오훼완근, Coracobrachialis)

어깨뼈 부리돌기부터 위팔뼈 안쪽에 부착된 원주
모양의 짧은 근육으로, 힘살은 근육피부신경을 통과
한다.

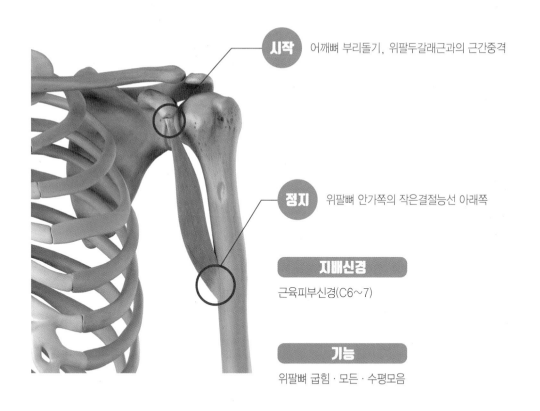

시작 어깨뼈 부리돌기, 위팔두갈래근과의 근간중격

정지 위팔뼈 안가쪽의 작은결절능선 아래쪽

지배신경

근육피부신경(C6~7)

기능

위팔뼈 굽힘 · 모든 · 수평모음

굽힘이 안 될 때 2
부리위팔근 테이핑 기법

1. 테이프의 시작점을 부리돌기(오훼돌기)에 고정한다.

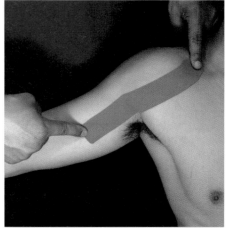

2. 팔을 펴서 가쪽(바깥쪽)으로 돌린 자세에서 테이프의 끝점을 위팔뼈(상완골) 안쪽의 중간지점에 부착한다.

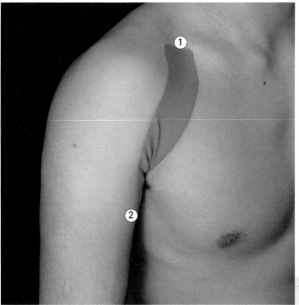

3. 완성 이미지(①부리돌기~②위팔뼈 안쪽)

(3) 폄(신전, extension)이 안 될 때

1 뒤어깨세모근(후삼각근, Deltoid posterior)

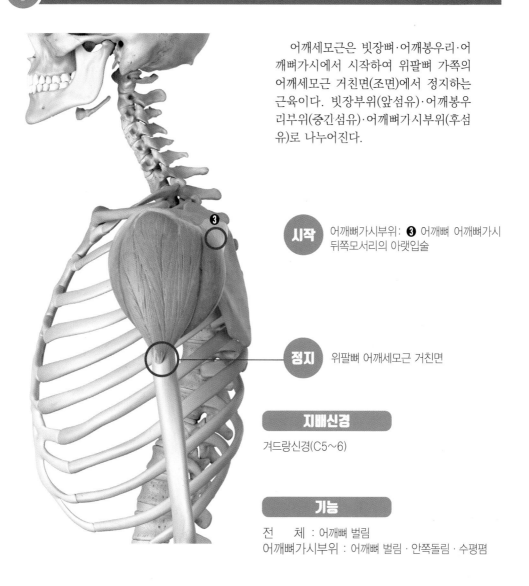

어깨세모근은 빗장뼈·어깨봉우리·어깨뼈가시에서 시작하여 위팔뼈 가쪽의 어깨세모근 거친면(조면)에서 정지하는 근육이다. 빗장부위(앞섬유)·어깨봉우리부위(중간섬유)·어깨뼈기시부위(후섬유)로 나누어진다.

시작 어깨뼈가시부위: ❸ 어깨뼈 어깨뼈가시 뒤쪽모서리의 아랫입술

정지 위팔뼈 어깨세모근 거친면

지배신경

겨드랑신경(C5~6)

기능

전　체 : 어깨뼈 벌림
어깨뼈가시부위 : 어깨뼈 벌림 · 안쪽돌림 · 수평폄

펌이 안 될 때 1
뒤어깨세모근 테이핑 기법

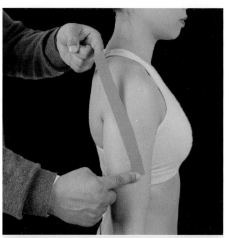

1. 테이프의 시작점을 위팔뼈(상완골) 아래쪽(어깨세모근 거친면)에 고정한다.

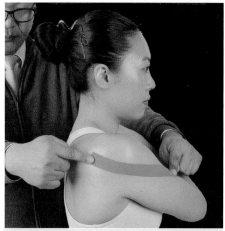

2. 손을 반대쪽 어깨 위에 올린 자세에서 테이프의 끝점을 어깨뼈가시(견갑극) 가쪽(바깥쪽) 1/3 지점에 부착한다.

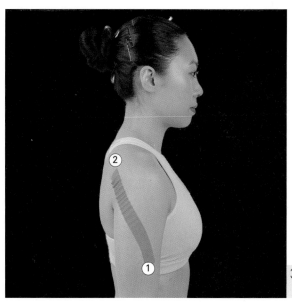

3. 완성 이미지(①위팔뼈 거친면~②어깨뼈 가시 가쪽)

② 넓은등근(광배근, Latissimus dorsi)

가슴우리 뒤쪽 아래와 허리뼈부위의 표면을 덮는 삼각형의 넓고 큰 근육이다. 위섬유는 대부분 수평이고, 맨 아래섬유는 대부분 수직으로 주행하여 위팔뼈 근처에서 합쳐진다.

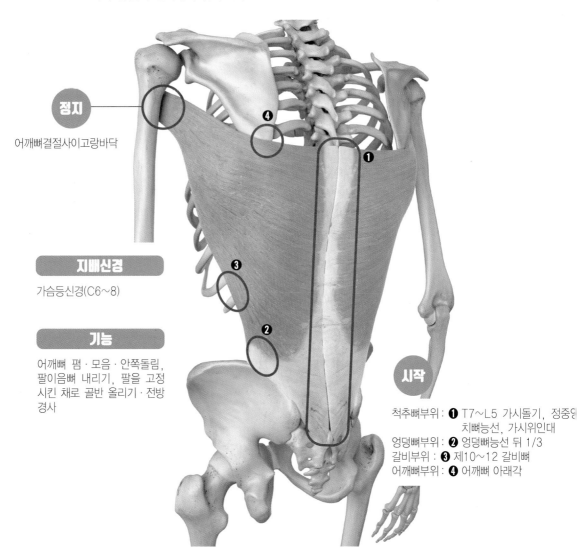

정지

어깨뼈결절사이고랑바닥

지배신경

가슴등신경(C6~8)

기능

어깨뼈 폄·모음·안쪽돌림, 팔이음뼈 내리기, 팔을 고정시킨 채로 골반 올리기·전방경사

시작

척추뼈부위 : ❶ T7~L5 가시돌기, 정중엉치뼈능선, 가시위인대
엉덩뼈부위 : ❷ 엉덩뼈능선 뒤 1/3
갈비부위 : ❸ 제10~12 갈비뼈
어깨뼈부위 : ❹ 어깨뼈 아래각

펌이 안 될 때 2
넓은등근 테이핑 기법

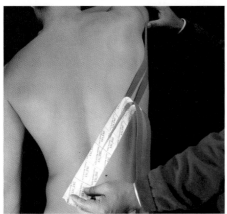

1. 팔꿈치를 90도 굽힌 자세에서 테이프의 시작점을 위팔(상완) 몸쪽(근위) 1/3 지점에 고정한다.

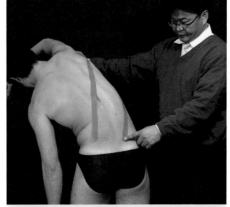

2. 팔을 위로 올리고 몸통을 앞으로 굽힌 다음, 다시 몸통을 반대편으로 (옆으로) 굽힌 자세에서 테이프의 ②번 끝점을 넓은등근 가쪽모서리(외측연)를 따라 위뒤엉덩뼈가시(후상장골극)에 부착한다.

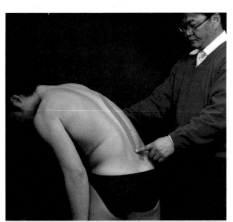

3. 「2번」자세에서 몸통을 반대편으로 돌린(회전) 후 테이프의 ③번 끝점을 넓은등근 위쪽모서리(상방연)를 따라 제7등뼈(T7 흉추) 가로돌기(횡돌기)를 지나 엉치뼈 방향으로 부착한다.

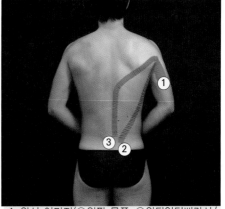

4. 완성 이미지(①위팔 몸쪽~②위뒤엉덩뼈가시/③엉치뼈)

③ 큰원근(대원근, Teres major)

어깨뼈 아래뿔에서 앞가쪽을 향하는 긴 원뿔모양의 근육이다.
힘줄은 넓은등근 힘줄 뒤쪽에 있고, 양쪽의 거리는 짧지만 합쳐진다.

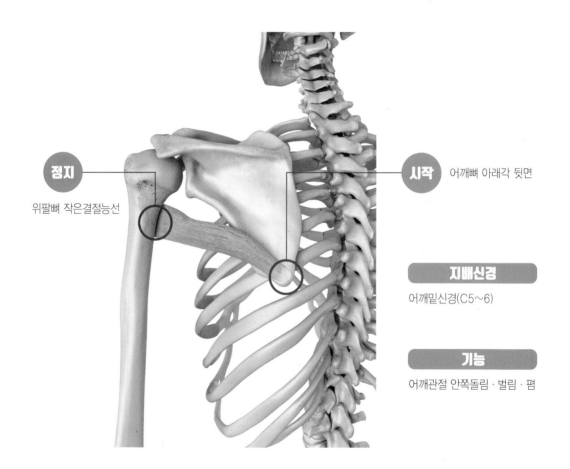

정지

위팔뼈 작은결절능선

시작 어깨뼈 아래각 뒷면

지배신경

어깨밑신경(C5~6)

기능

어깨관절 안쪽돌림 · 벌림 · 폄

폄이 안 될 때 3
큰원근 테이핑 기법

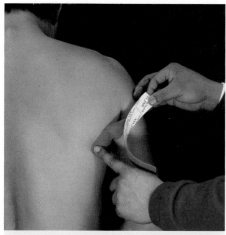

1. 테이프의 시작점을 어깨뼈 아래모서리 가쪽면 (견갑골 하각 외측면)에 고정한다.

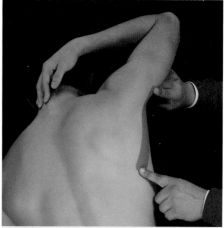

2. 팔꿈치를 굽히고 최대한 위로 들어 올린 자세 에서 테이프의 끝점을 위팔뼈머리 뒤쪽의 가쪽 면(상완골두 후외측면)에 부착한다.

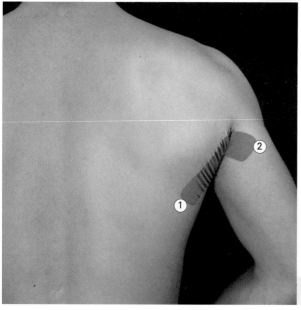

3. 완성 이미지(①어깨뼈 아래모서리~② 위팔뼈머리 뒤쪽)

2) 모음과 벌림이 안 될 때

(1) ROM Test

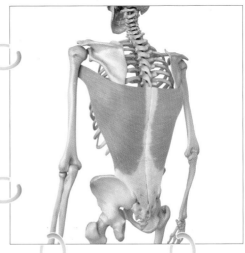
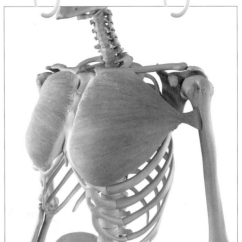

모음이 안 될 때 → 큰가슴근, 넓은등근

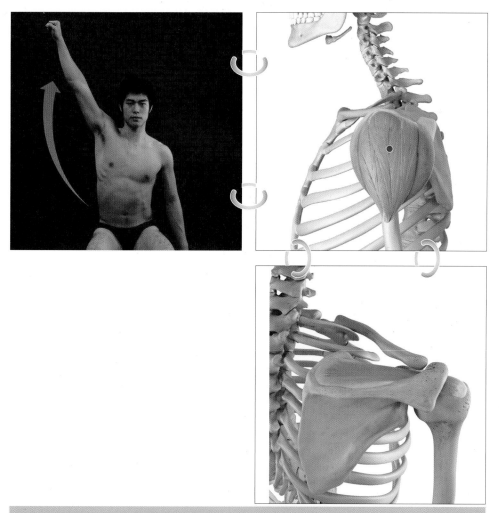

벌림이 안 될 때 → 중간어깨세모근, 가시위근

(2) 모음(내전, adduction)이 안 될 때

1 ## 큰가슴근(대흉근, Pectoralis major)

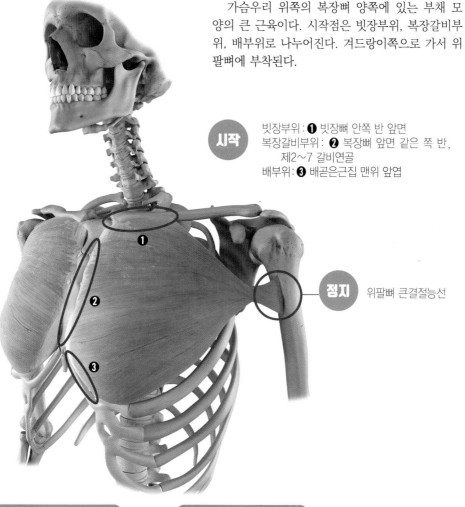

가슴우리 위쪽의 복장뼈 양쪽에 있는 부채 모양의 큰 근육이다. 시작점은 빗장부위, 복장갈비부위, 배부위로 나누어진다. 겨드랑이쪽으로 가서 위팔뼈에 부착된다.

시작
빗장부위 : ❶ 빗장뼈 안쪽 반 앞면
복장갈비부위 : ❷ 복장뼈 앞면 같은 쪽 반,
제2~7 갈비연골
배부위 : ❸ 배곧은근집 맨위 앞엽

정지 위팔뼈 큰결절능선

지배신경

안쪽 및 가쪽 가슴근신경(C5~T1)

기능

어깨관절 모음 · 안쪽돌림, 강제호기 시 갈비뼈 올림, 복장부위 확대, 위쪽섬유는 어깨뼈 굽힘 · 수평모음

모음이 안 될 때 1
큰가슴근 테이핑 기법

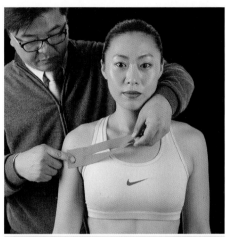

1. 테이프의 시작점을 위팔뼈 큰결절(상완이두근 구)에 고정한다.

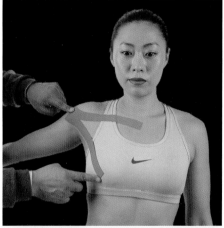

2. 어깨를 바깥쪽으로 돌린 자세에서 테이프의 ②번 끝점을 복장빗장관절(흉쇄관절)에 부착한다. 팔을 더 펴서 바깥쪽으로 돌린 자세에서 테이프의 ③번 끝점을 젖꼭지 가쪽으로 부착한다.

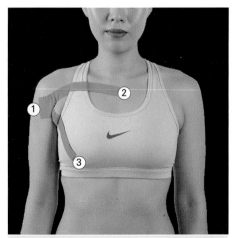

3. 완성 이미지(①위팔뼈 큰결절~②복장빗장관절/③젖꼭지 가쪽)

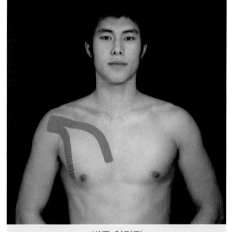

비교 이미지

2 넓은등근(광배근, Latissimus dorsi)

가슴우리 뒤쪽 아래와 허리뼈부위의 표면을 덮는 삼각형의 넓고 큰 근육이다. 위섬유는 대부분 수평이고, 맨 아래섬유는 대부분 수직으로 주행하여 위팔뼈 근처에서 합쳐진다.

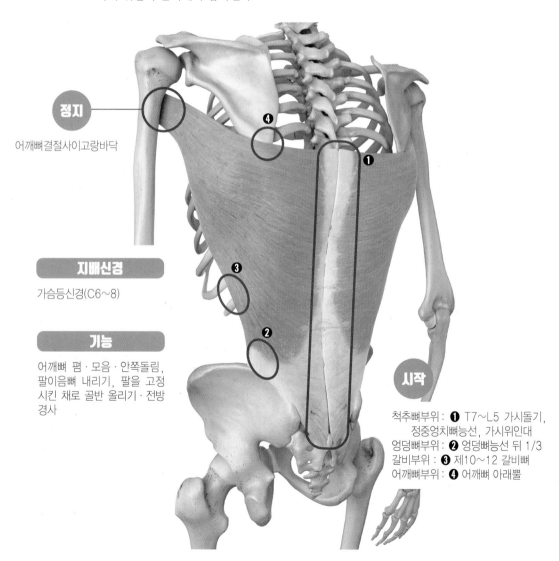

정지

어깨뼈결절사이고랑바닥

지배신경

가슴등신경(C6~8)

기능

어깨뼈 폄·모음·안쪽돌림, 팔이음뼈 내리기, 팔을 고정시킨 채로 골반 올리기·전방경사

시작

척추뼈부위: ❶ T7~L5 가시돌기, 정중엉치뼈능선, 가시위인대
엉덩뼈부위: ❷ 엉덩뼈능선 뒤 1/3
갈비부위: ❸ 제10~12 갈비뼈
어깨뼈부위: ❹ 어깨뼈 아래뿔

모음이 안 될 때 2
넓은등근 테이핑 기법

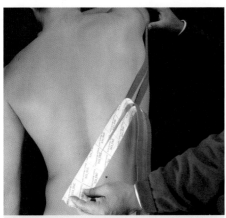

1. 팔꿈치를 90도 굽힌 자세에서 테이프의 시작
   점을 위팔(상완) 몸쪽(근위) 1/3 지점에 고정
   한다.

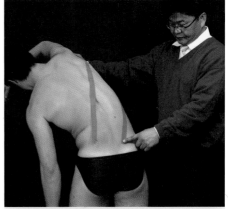

2. 팔을 위로 올리고 몸통을 앞으로 굽힌 다음, 다
   시 몸통을 반대편으로 (옆으로) 굽힌 자세에서
   테이프의 ②번 끝점을 넓은등근 가쪽모서리(외
   측연)를 따라 위뒤엉덩뼈가시(후상장골극)에
   부착한다.

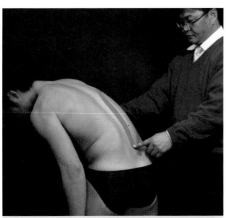

3. 「2번」자세에서 몸통을 반대편으로 돌린(회전)
   후 테이프의 ③번 끝점을 넓은등근 위쪽모서
   리(상방연)를 따라 제7등뼈(T7 흉추) 가로돌기
   (횡돌기)를 지나 엉치뼈(천골) 방향으로 부착
   한다.

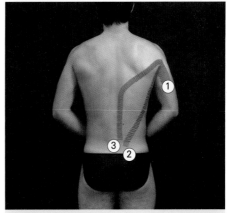

4. 완성 이미지(①위팔 몸쪽~②위뒤엉덩뼈가시/
   ③엉치뼈)

(3) 벌림(외전, abduction)이 안 될 때

1 중간어깨세모근(중삼각근, Deltoid medius)

어깨세모근은 빗장뼈·어깨봉우리·어깨뼈가시에서 시작하여 위팔뼈 가쪽의 어깨세모근 거친면(조면)에서 정지하는 근육이다. 빗장부위(앞섬유)·어깨봉우리부위(중간섬유)·어깨뼈가시부위(후섬유)로 나누어진다.

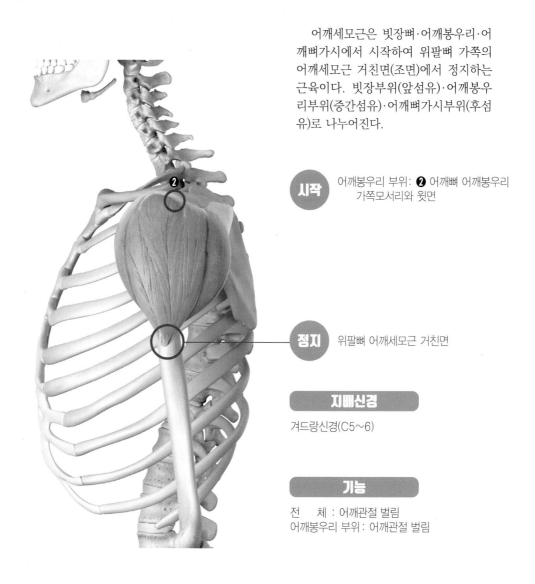

시작　어깨봉우리 부위: ❷ 어깨뼈 어깨봉우리 가쪽모서리와 윗면

정지　위팔뼈 어깨세모근 거친면

지배신경

겨드랑신경(C5~6)

기능

전　　체 : 어깨관절 벌림
어깨봉우리 부위 : 어깨관절 벌림

벌림이 안 될 때 1
중간어깨세모근 테이핑 기법

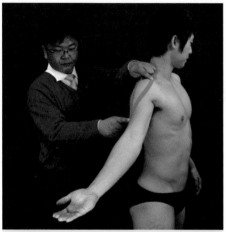

1. 테이프의 시작점을 위팔뼈 어깨세모근 거친면 (상완골 삼각근 조면)에 고정한다. 팔을 펴서 뒤로 젖힌 자세에서 테이프의 ②번 끝점을 위 팔뼈머리 앞쪽(상완골두 전방)에 부착한다.

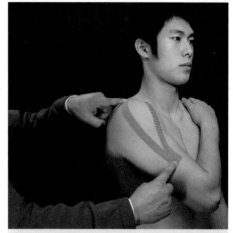

2. 손을 반대쪽 어깨에 올린 자세에서 테이프의 ③번 끝점을 뒤쪽 어깨세모근(후삼각근)과 중 간 어깨세모근(중삼각근) 사이(위팔뼈머리 뒤 쪽)에 부착한다.

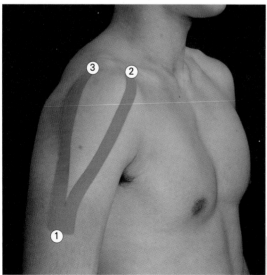

3. 완성 이미지(①위팔뼈 어깨세모근 거친면~② 위팔뼈머리 앞쪽/③위팔뼈머리 뒤쪽)

② 가시위근(극상근, Supraspinatus)

가시위오목에서부터 큰결절 앞쪽에 부착된다. 위팔뼈머리의 안정화와 벌림·가쪽돌림 시에 작용한다. 돌림근띠(회전근개)를 구성하는 근육의 하나로 손상를 입기 쉽다.

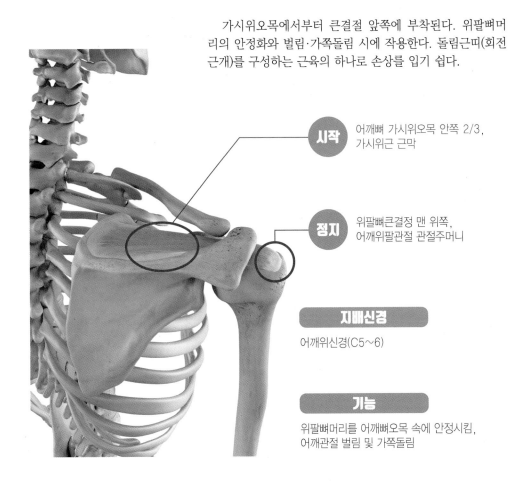

시작 어깨뼈 가시위오목 안쪽 2/3,
가시위근 근막

정지 위팔뼈큰결절 맨 위쪽,
어깨위팔관절 관절주머니

지배신경
어깨위신경(C5~6)

기능
위팔뼈머리를 어깨뼈오목 속에 안정시킴,
어깨관절 벌림 및 가쪽돌림

벌림이 안 될 때 2
가시위근 테이핑 기법

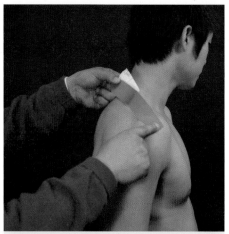

1. 테이프의 시작점을 위팔뼈 큰결절(상완골 대결절) 위쪽에 고정한다.

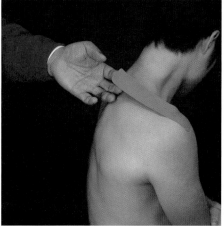

2. 팔을 몸통쪽으로 모아 안쪽으로 돌리고, 목은 반대쪽으로 돌린 자세에서 테이프의 끝점을 어깨뼈 위쪽모서리(극상와)에 부착한다.

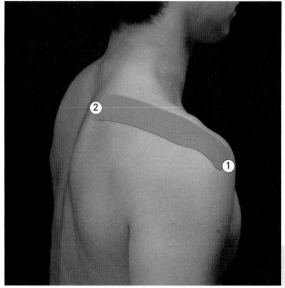

3. 완성 이미지(①위팔뼈 큰결절~②어깨뼈 위쪽모서리)

3) 안쪽/가쪽돌림이 안 될 때

(1) ROM Test

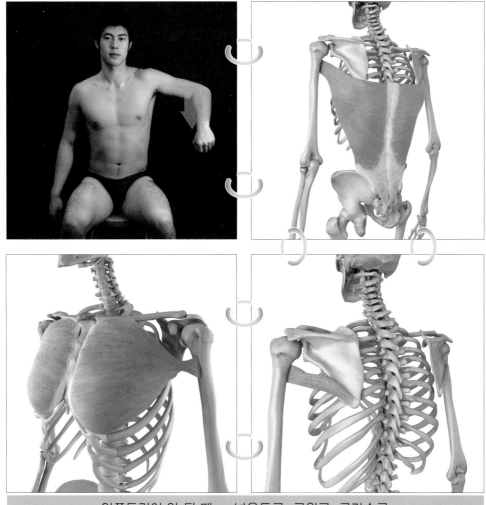

안쪽돌림이 안 될 때 → 넓은등근, 큰원근, 큰가슴근

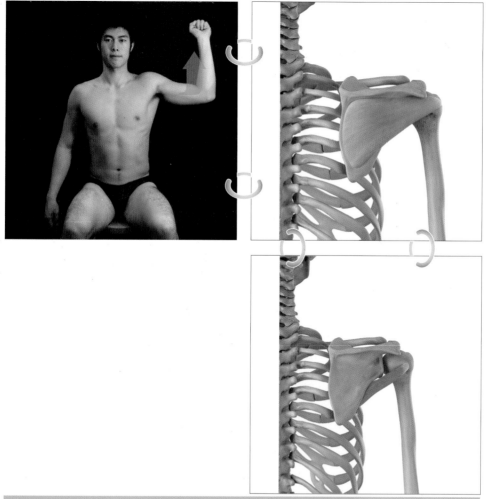

가쪽돌림이 안 될 때 → 가시아래근, 작은원근

(2) 안쪽돌림(내회전, internal rotation)이 안 될 때

1 **넓은등근**(광배근, Latissimus dorsi)

가슴우리 뒤쪽 아래와 허리뼈부위의 표면을 덮는 삼각형의 넓고 큰 근육이다. 위섬유는 대부분 수평이고, 맨 아래섬유는 대부분 수직으로 주행하여 위팔뼈 근처에서 합쳐진다.

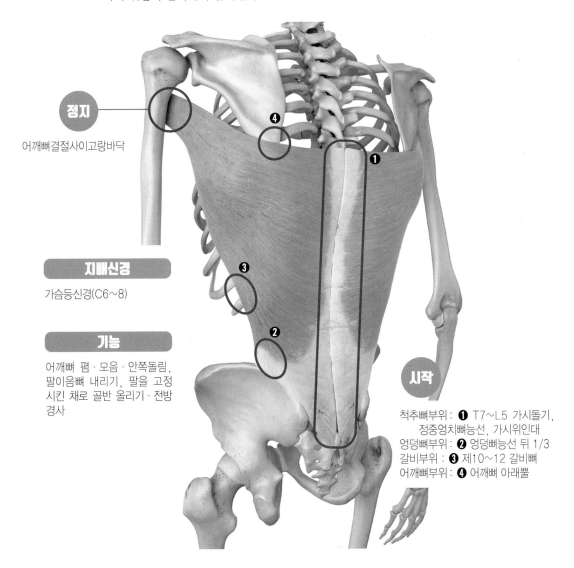

정지

어깨뼈결절사이고랑바닥

지배신경

가슴등신경(C6~8)

기능

어깨뼈 폄 · 모음 · 안쪽돌림, 팔이음뼈 내리기, 팔을 고정시킨 채로 골반 올리기 · 전방경사

시작

척추뼈부위 : ❶ T7~L5 가시돌기, 정중엉치뼈능선, 가시위인대
엉덩뼈부위 : ❷ 엉덩뼈능선 뒤 1/3
갈비부위 : ❸ 제10~12 갈비뼈
어깨뼈부위 : ❹ 어깨뼈 아래뿔

안쪽돌림이 안 될 때 1
넓은등근 테이핑 기법

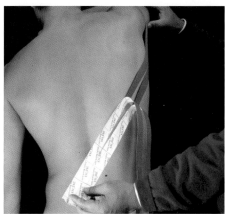

1. 팔꿈치를 90도 굽힌 자세에서 테이프의 시작점을 위팔(상완) 몸쪽(근위) 1/3 지점에 고정한다.

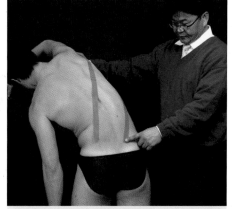

2. 팔을 위로 올리고 몸통을 앞으로 굽힌 다음, 다시 몸통을 반대편으로 (옆으로) 굽힌 자세에서 테이프의 ②번 끝점을 넓은등근 가쪽모서리(외측연)를 따라 위뒤엉덩뼈가시(후상장골극)에 부착한다.

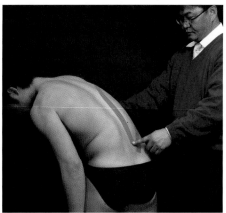

3. 「2번」자세에서 몸통을 반대편으로 돌린(회전) 후 테이프의 ③번 끝점을 넓은등근 위쪽모서리(상방연)를 따라 제7등뼈(T7 흉추) 가로돌기(횡돌기)를 지나 엉치뼈(천골) 방향으로 부착한다.

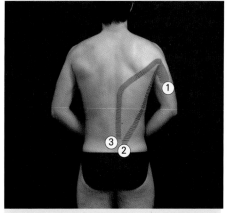

4. 완성 이미지(①위팔 몸쪽~②위뒤엉덩뼈가시/③엉치뼈)

② 큰원근(대원근, Teres major)

어깨뼈 아래뿔에서 앞가쪽을 향하는 긴 원뿔모양의 근육이다.
힘줄은 넓은등근 힘줄 뒤쪽에 있고, 양쪽의 거리는 짧지만 합쳐진다.

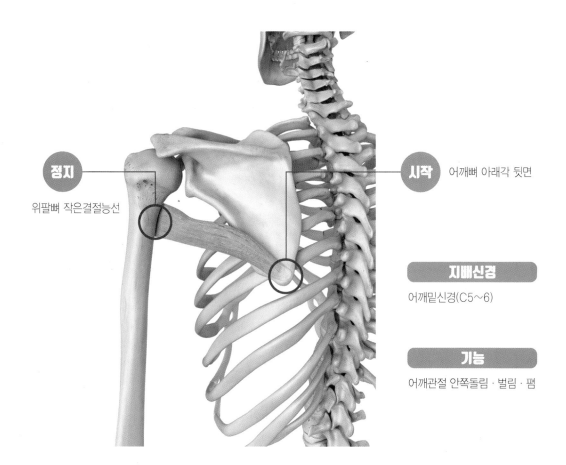

정지

위팔뼈 작은결절능선

시작 어깨뼈 아래각 뒷면

지배신경

어깨밑신경(C5~6)

기능

어깨관절 안쪽돌림 · 벌림 · 폄

안쪽돌림이 안 될 때 2
큰원근 테이핑 기법

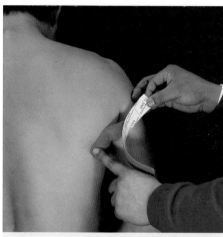

1. 테이프의 시작점을 어깨뼈 아래각 가쪽면(견갑골 하각 외측면)에 고정한다.

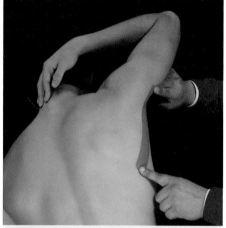

2. 팔꿈치를 굽히고 최대한 위로 들어 올린 자세에서 테이프의 끝점을 위팔뼈머리 뒤쪽의 가쪽면(상완골두 후외측면)에 부착한다.

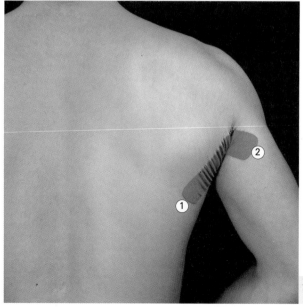

3. 완성 이미지(①어깨뼈 아래각~②위팔뼈머리 뒤쪽)

③ 큰가슴근(대흉근, Pectoralis major)

가슴우리 위쪽의 복장뼈 양쪽에 있는 부채 모양의 큰 근육이다. 시작점은 빗장부위, 복장갈비부위, 배부위로 나누어진다. 겨드랑이쪽으로 가서 위팔뼈에 부착된다.

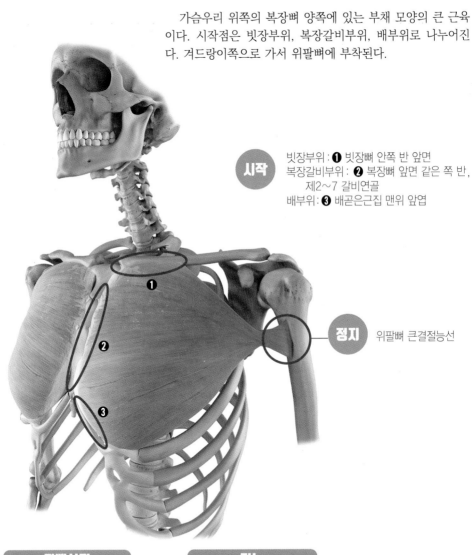

시작
빗장부위 : ❶ 빗장뼈 안쪽 반 앞면
복장갈비부위 : ❷ 복장뼈 앞면 같은 쪽 반,
　　　　　　　제2~7 갈비연골
배부위 : ❸ 배곧은근집 맨위 앞엽

정지　위팔뼈 큰결절능선

지배신경

안쪽 및 가쪽 가슴근신경(C5~T1)

기능

어깨관절 모음 · 안쪽돌림, 강제호기 시 갈비뼈 올림, 복장부위 확대, 위쪽섬유는 어깨뼈 굽힘 · 수평모음

안쪽돌림이 안 될 때 3
큰가슴근 테이핑 기법

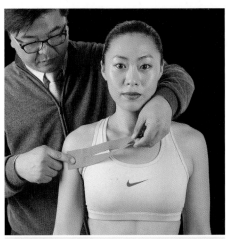

1. 테이프의 시작점을 위팔뼈 큰결절(상완이두근구)에 고정한다.

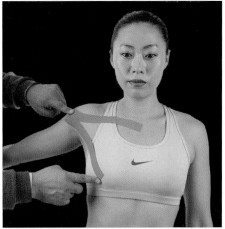

2. 어깨를 바깥쪽으로 돌린 자세에서 테이프의 ②번 끝점을 복장빗장관절(흉쇄관절)에 부착한다. 팔을 더 펴서 바깥쪽으로 돌린 자세에서 테이프의 ③번 끝점을 젖꼭지 가쪽으로 부착한다.

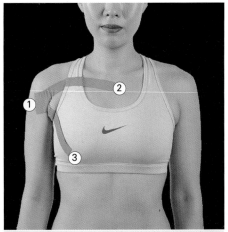

3. 완성 이미지(①위팔뼈 큰결절~②복장빗장관절/③젖꼭지 가쪽)

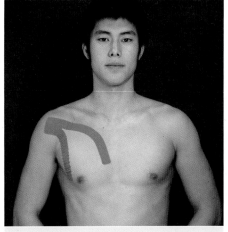

비교 이미지

(3) 가쪽돌림(외회전, external rotation)이 안 될 때

1 가시아래근(극하근, Infraspinatus)

가시아래오목의 대부분을 차지하며, 위팔뼈 큰결절 중앙에 부착된다.
돌림근띠(회전근개)를 구성하는 근육의 하나이며, 위팔뼈머리의 안정화
와 가쪽돌림·벌림 시에 작용한다.

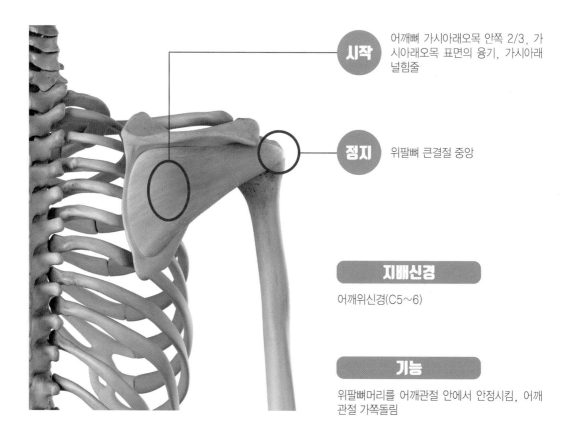

시작
어깨뼈 가시아래오목 안쪽 2/3, 가시아래오목 표면의 융기, 가시아래 널힘줄

정지
위팔뼈 큰결절 중앙

지배신경
어깨위신경(C5~6)

기능
위팔뼈머리를 어깨관절 안에서 안정시킴, 어깨관절 가쪽돌림

가쪽돌림이 안 될 때 1
가시아래근 테이핑 기법

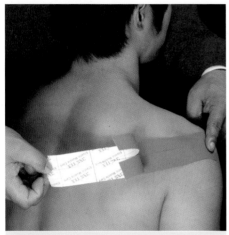

1. 테이프의 시작점을 위팔뼈 큰결절(상완골 대결절)에 고정한다.

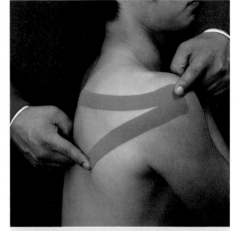

2. 팔꿈치를 90도 굽히고 팔을 반대쪽 어깨에 올린 자세에서 테이프의 ②번 끝점을 어깨뼈가시(견갑극)에 부착한다. 테이프의 ③번 끝점은 어깨뼈 아래각(견갑골 하각 외측면) 방향으로 부착한다.

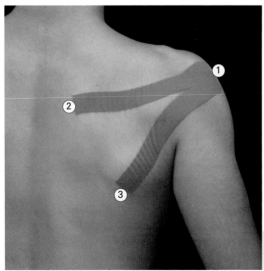

3. 완성 이미지(①위팔뼈 큰결절~②어깨뼈가시/③어깨뼈 아래각)

② 작은원근(소원근, Teres minor)

어깨뼈 가쪽모서리 위쪽에서 가쪽위로 길게 원뿔처럼 펴진 근육이다. 큰결절 가장 아래쪽에 정지점이 있고, 돌림근띠(회전근개)를 구성한다.

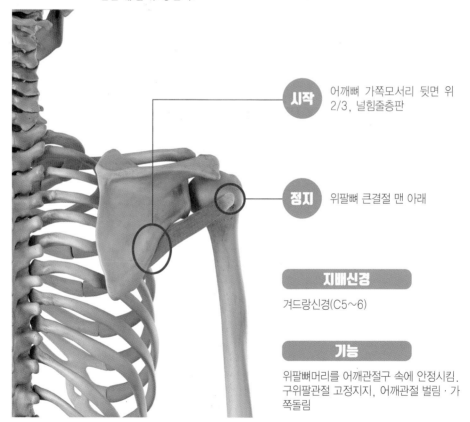

시작 어깨뼈 가쪽모서리 뒷면 위 2/3, 널힘줄층판

정지 위팔뼈 큰결절 맨 아래

지배신경

겨드랑신경(C5~6)

기능

위팔뼈머리를 어깨관절구 속에 안정시킴. 구위팔관절 고정지지, 어깨관절 벌림 · 가쪽돌림

가쪽돌림이 안 될 때 2
작은원근 테이핑 기법

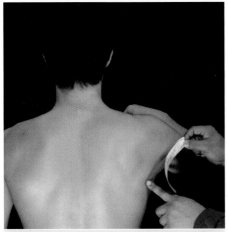

1. 어깨를 30도 벌린 자세에서 테이프의 시작점을
   어깨뼈 각쪽모서리(견갑골 외측연)에 고정한다.

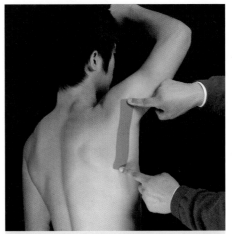

2. 팔을 앞으로 올리고, 어깨관절을 수평으로 모
   아 안쪽으로 돌린 자세에서 테이프의 끝점을 위
   팔뼈 큰결절(상완골 대결절) 아랫면에 부착한다.

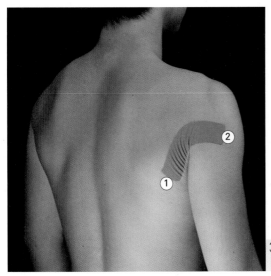

3. 완성 이미지(①어깨뼈 아래모서리~②위팔뼈
   큰결절)

어깨관절 테이핑 비교

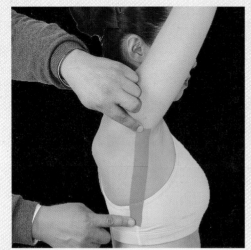

큰원근 테이핑

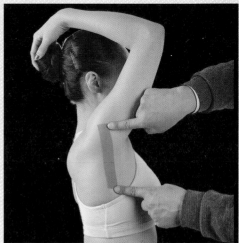

작은원근 테이핑

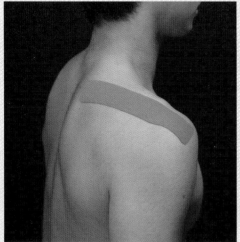

가시위근 테이핑

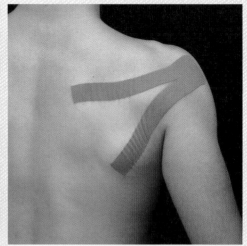

가시아래근 테이핑

4) 수평모음과 수평벌림이 안 될 때

(1) ROM Test

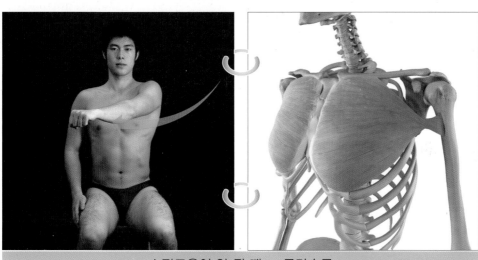

수평모음이 안 될 때 → 큰가슴근

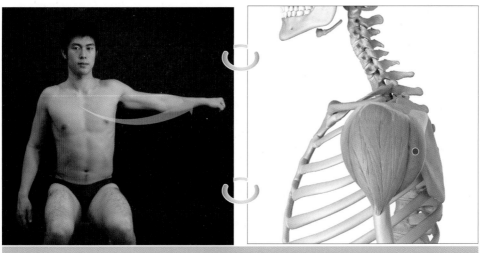

수평벌림이 안 될 때 → 뒤어깨세모근

(2) 수평모음(수평내전, horizontal adduction)이 안 될 때

큰가슴근(대흉근, Pectoralis major)

가슴우리 위쪽의 복장뼈 양쪽에 있는 부채 모양의 큰 근육이다. 시작점은 빗장부위, 복장갈비부위, 배부위로 나누어진다. 겨드랑이쪽으로 가서 위팔뼈에 부착된다.

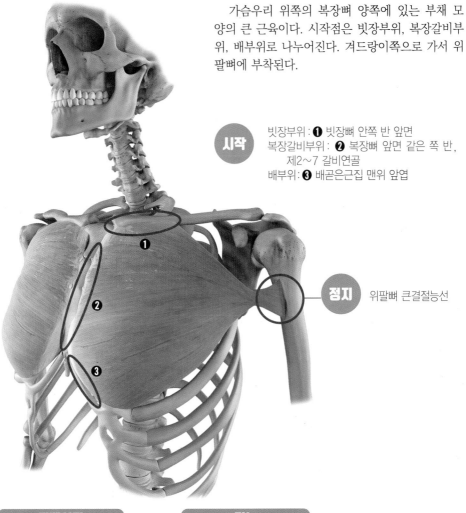

시작
빗장부위 : ❶ 빗장뼈 안쪽 반 앞면
복장갈비부위 : ❷ 복장뼈 앞면 같은 쪽 반,
제2~7 갈비연골
배부위 : ❸ 배곧은근집 맨위 앞엽

정지 위팔뼈 큰결절능선

지배신경
안쪽 및 가쪽 가슴근신경(C5~T1)

기능
어깨관절 모음 · 안쪽돌림, 강제호기 시 갈비뼈 올림, 복장부위 확대, 위쪽섬유는 어깨뼈 굽힘 · 수평모음

수평모음이 안 될 때
큰가슴근 테이핑 기법

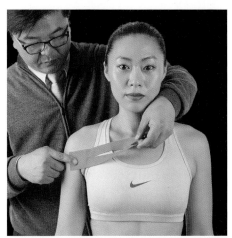

1. 테이프의 시작점을 위팔뼈 큰결절(상완이두근 구)에 고정한다.

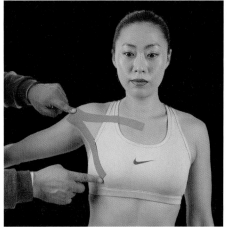

2. 어깨를 바깥쪽으로 돌린 자세에서 테이프의 ②번 끝점을 복장빗장관절(흉쇄관절)에 부착한다. 팔을 더 펴서 바깥쪽으로 돌린 자세에서 테이프의 ③번 끝점을 젖꼭지 가쪽으로 부착한다.

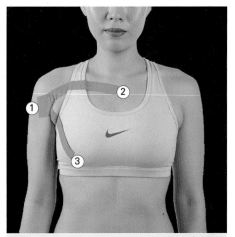

3. 완성 이미지(①위팔뼈 큰결절~②복장빗장관절/③젖꼭지 가쪽)

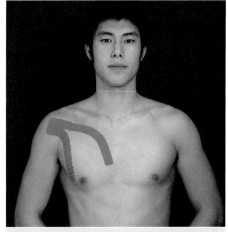

비교 이미지

(3) 수평벌림(수평외전, horizontal abduction)이 안 될 때

뒤어깨세모근(후삼각근, Deltoid posterior)

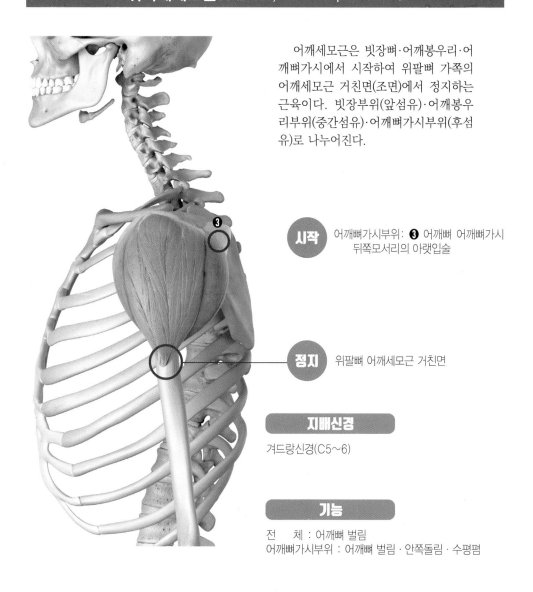

어깨세모근은 빗장뼈·어깨봉우리·어깨뼈가시에서 시작하여 위팔뼈 가쪽의 어깨세모근 거친면(조면)에서 정지하는 근육이다. 빗장부위(앞섬유)·어깨봉우리부위(중간섬유)·어깨뼈가시부위(후섬유)로 나누어진다.

시작 어깨뼈가시부위: ❸ 어깨뼈 어깨뼈가시 뒤쪽모서리의 아랫입술

정지 위팔뼈 어깨세모근 거친면

지배신경

겨드랑신경(C5~6)

기능

전 체 : 어깨뼈 벌림
어깨뼈가시부위 : 어깨뼈 벌림 · 안쪽돌림 · 수평폄

수평벌림이 안 될 때
뒤어깨세모근 테이핑 기법

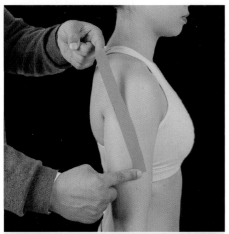

1. 테이프의 시작점을 위팔뼈(상완골) 아래쪽에 고정한다.

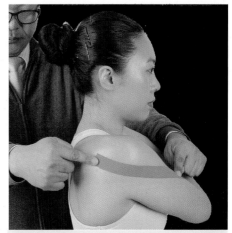

2. 손을 반대쪽 어깨 위에 올린 자세에서 테이프의 끝점을 어깨뼈가시(견갑극) 가쪽(바깥쪽) 1/3 지점에 부착한다.

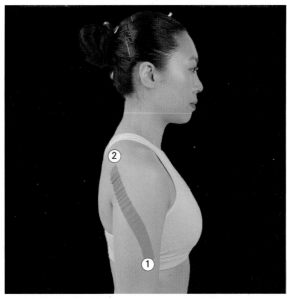

3. 완성 이미지(①위팔뼈 거친면~②어깨뼈 가시 가쪽)

어깨관절 테이핑 비교

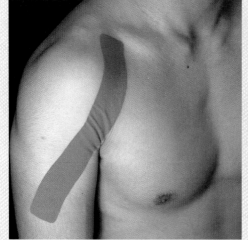

앞어깨세모근 테이핑

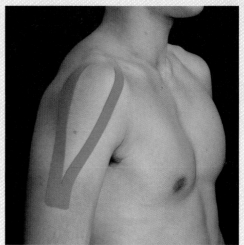

중간어깨세모근 테이핑

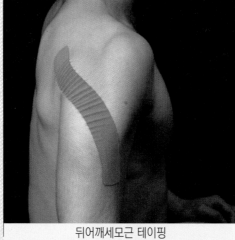

뒤어깨세모근 테이핑

3. 어깨가슴관절

6 ROM, 5 Muscles	
ROM	작용근육
내밈(전인)	앞톱니근(전거근)/작은가슴근(소흉근)
들임(후인)	중간등세모근(중승모근)/마름근(능형근)
올림(거상)	위등세모근(상승모근)/어깨올림근(견갑거근)
내림(하강)	아래등세모근(하승모근)/작은가슴근(소흉근)
위쪽돌림(상방회전)	위등세모근(상승모근)/아래등세모근(하승모근)/앞톱니근(전거근)
아래쪽돌림(하방회전)	마름근(능형근)/어깨올림근(견갑거근)/작은가슴근(소흉근)
마름근, 등세모근(위, 중간, 아래), 앞톱니근, 어깨올림근, 작은가슴근	

1) 내밈과 들임이 안 될 때

(1) ROM Test

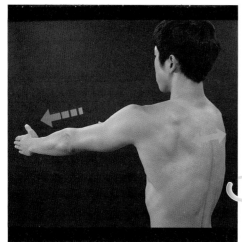

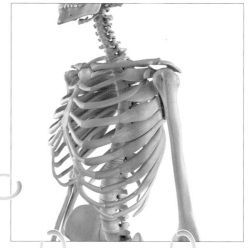

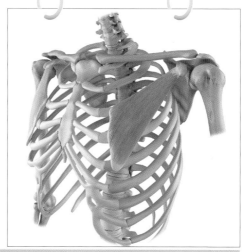

내밈이 안 될 때 → 앞톱니근, 작은가슴근

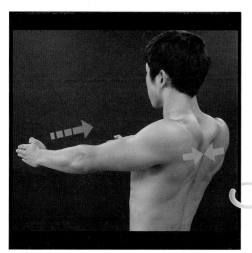

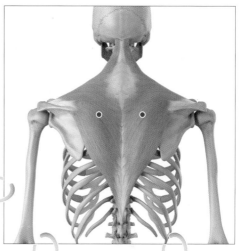

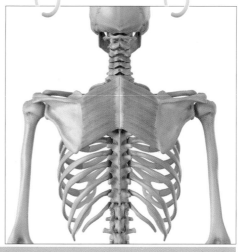

들임이 안 될 때 → 중간등세모근, 마름근

(2) 내밈(전인, protraction)이 안 될 때

1 앞톱니근(전거근, Serratus anterior)

가슴우리 가쪽벽에 있는 톱니모양의 큰 근육이다. 갈비뼈 가쪽에서 시작하여 가슴우리를 돌아 뒤쪽에서 굽어져 어깨뼈 밑을 지나 안쪽모서리쪽으로 주행한다.

시작
상부 : 제1~2갈비뼈 가쪽면과 위쪽모서리, 바깥 늑골사이근 널힘줄
중부 : 제2갈비뼈, 바깥늑골사이근 널힘줄
하부 : 제3~8갈비뼈, 바깥늑골사이근 널힘줄

정지
어깨뼈 앞면
상부 : 위뿔 앞면의 삼각형 영역
중부 : 안쪽모서리 거의 전부
하부 : 아래각 앞면에 있는 삼각형

지배신경

긴가슴신경(C5~7)

기능

어깨뼈 벌림 · 위쪽돌림 · 앞쪽돌출

내밈은 팔을 앞쪽으로 내밀 때 어깨뼈(견갑골)가 시상면 밖으로 이동하는 동작으로, 어깨가슴관절(흉·견갑관절) 자체의 움직임으로 보면 벌림(외전)이 된다.

내밈이 안 될 때 1
앞톱니근 테이핑 기법

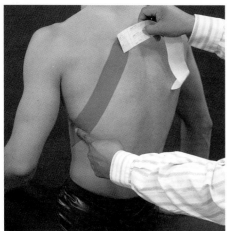

1. 테이프의 시작점을 제8갈비뼈(늑골)에 고정한다.

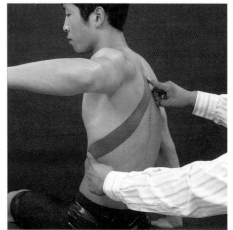

2. 팔을 들어올리고 숨을 최대한 들이마셔 가슴우리(흉곽)을 팽창시킨 자세에서 테이프의 끝점을 어깨뼈 아래모서리 안쪽(견갑극 내측연)에 부착한다.

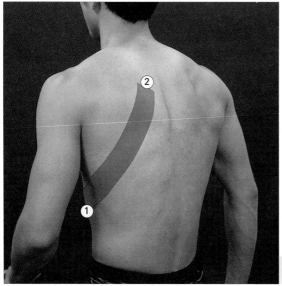

3. 완성 이미지(①제8갈비뼈~②어깨뼈 아래모서리 안쪽)

② 작은가슴근(소흉근, Pectoralis minor)

가슴우리 위쪽 큰가슴근 아래쪽에 있는 좁고 편평한 삼각형 근육
이다. 근육섬유는 위가쪽을 향하며, 편평한 힘줄이 되어 모인다.

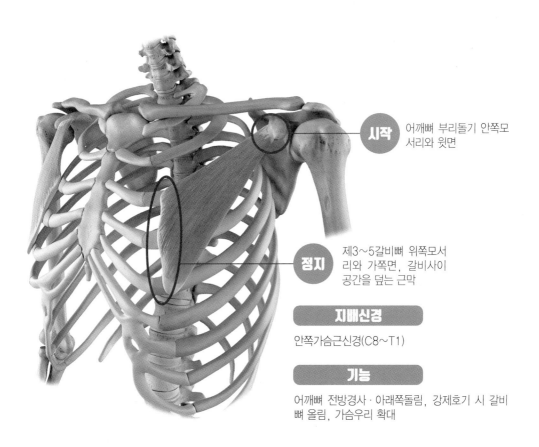

시작 어깨뼈 부리돌기 안쪽모
서리와 윗면

정지 제3~5갈비뼈 위쪽모서
리와 가쪽면, 갈비사이
공간을 덮는 근막

지배신경

안쪽가슴근신경(C8~T1)

기능

어깨뼈 전방경사 · 아래쪽돌림, 강제호기 시 갈비
뼈 올림, 가슴우리 확대

내밈이 안 될 때 2
작은가슴근 테이핑 기법

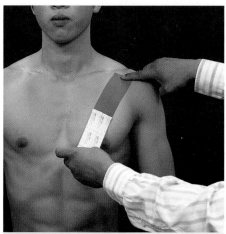

1. 테이프의 시작점을 부리돌기(오훼돌기)에 고정한다.

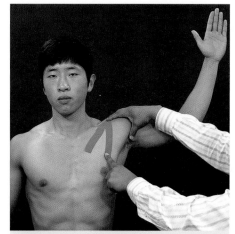

2. 팔을 벌리고 숨을 최대한 들이마셔 가슴우리(흉곽)을 팽창시킨 자세에서 테이프의 ②번 끝점을 젖꼭지 가쪽(유두 외측면)에 부착한다. 테이프의 ③번 끝점은 젖꼭지 안쪽에 부착한다.

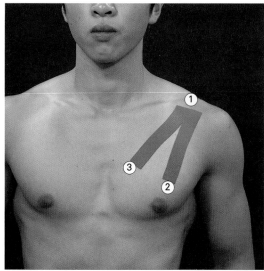

3. 완성 이미지(①부리돌기~②젖꼭지 위쪽/③젖꼭지 안쪽)

(3) 들임(후인, retraction)이 안 될 때

1 중간등세모근(중승모근, Middle Trapezius)

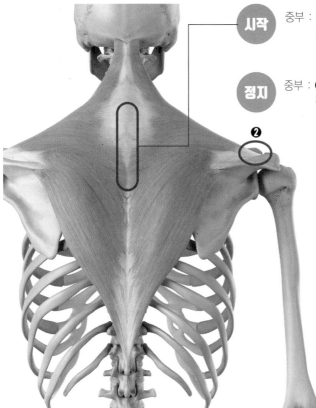

시작 중부 : C7~T3 가시돌기, 가시위인대

정지 중부 : ❷ 어깨봉우리 안쪽모서리, 어깨뼈가시 뒤위쪽 모서리

등세모근은 목 뒤쪽부터 등쪽에 걸쳐 있는 삼각형의 근육으로 위섬유, 중간섬유, 아래섬유로 구성된다. 반대쪽 근육과 합쳐지면 마름모꼴이 된다.

지배신경

목신경얼기 앞가지(C2~4), 더부신경 바깥가지

기능

전체 : 어깨뼈 위쪽돌림 · 모음
중부 : 어깨뼈 모음 · 위쪽돌림 보조

들임은 어깨뼈(견갑골)가 시상면 방향으로 당겨지는 동작으로, 어깨뼈(견갑골)가 미끄러지면서 갈비뼈(늑골)가 앞으로 향하게 된다. 어깨가슴관절(흉견갑관절) 자체의 움직임으로 보면 모음(내전)이 된다.

들임이 안 될 때 1
중간등세모근 테이핑 기법

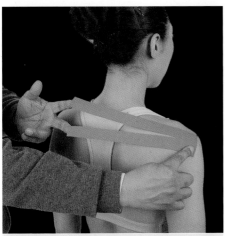

1. 테이프의 시작점을 어깨봉우리 옆쪽(견봉돌기 외측면)에 고정한다.

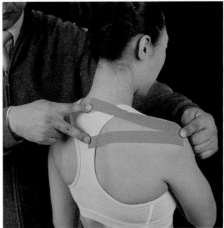

2. 팔을 안쪽으로 모은 자세에서 테이프의 ②번 끝점을 제7목뼈(C7 경추) 가시돌기(극돌기)에 부착한다. 테이프의 ③번 끝점은 어깨뼈가시(견갑극)를 따라 제4등뼈(T4 흉추) 가시돌기(극돌기)에 부착한다.

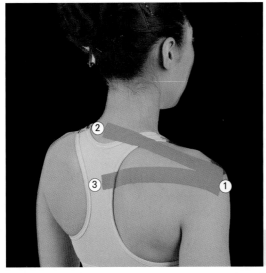

3. 완성 이미지(①어깨봉우리 옆쪽~②제7목뼈 가시돌기/③제4등뼈 가시돌기)

② 마름근(능형근, Rhomboid)

등 위쪽에 있는 등세모근을 덮는 마름모꼴의 근육으로, 작은마름근이 위쪽, 큰마름근이 아래쪽에 있다.

근육섬유는 가시돌기에서 어깨뼈 안쪽모서리쪽으로 비스듬히 내려간다.

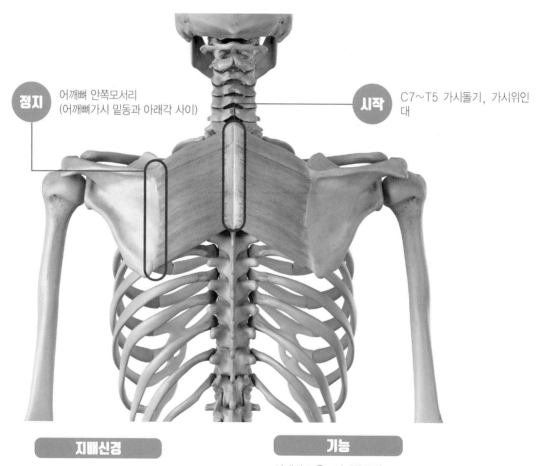

정지 어깨뼈 안쪽모서리
(어깨뼈가시 밑동과 아래각 사이)

시작 C7~T5 가시돌기, 가시위인대

지배신경
등쪽어깨신경C4~5)

기능
어깨뼈 모음 · 아래쪽돌림

들임이 안 될 때 2
마름근 테이핑 기법

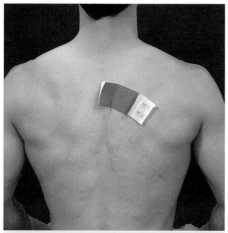

1. 테이프의 가운데 부분을 어깨뼈(견갑골)와 등뼈(흉추) 사이에 고정한다.

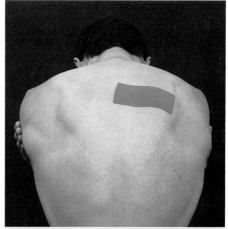

2. 양팔을 몸통 앞에서 교차시키고 목과 등을 굽힌 자세에서 테이프의 ②번 끝점을 제2등뼈(T2 흉추) 가시돌기(극돌기)와 제5등뼈(T5 흉추) 가시돌기 사이에 부착한다. 테이프의 ③번 끝점은 어깨뼈(견갑골)에 부착한다.

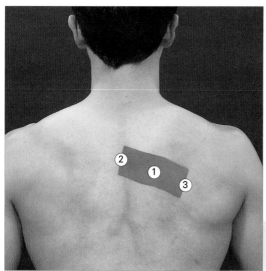

3. 완성 이미지(①제2등뼈와 제5등뼈 사이 높이에서 어깨뼈와 등뼈 사이 지점~②제2등뼈 가시돌기/③어깨뼈안쪽)

2) 올림과 내림이 안 될 때

(1) ROM Test

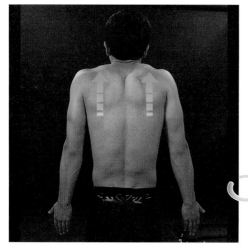

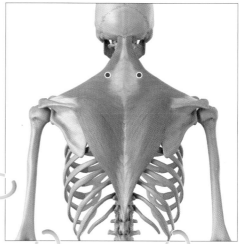

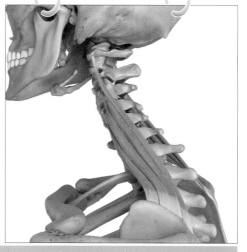

올림이 안 될 때 → 위등세모근, 어깨올림근

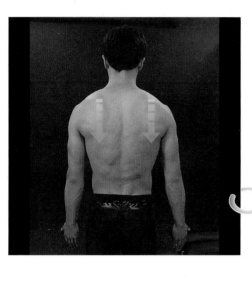

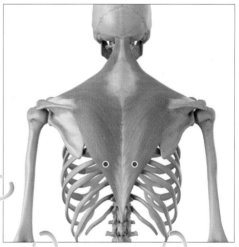

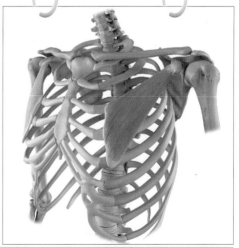

내림이 안 될 때 ➡ 아래등세모근, 작은가슴근

(2) 올림(거상, elevation)이 안 될 때

1 　위등세모근(상승모근, Upper Trapezius)

등세모근은 목 뒤쪽부터 등쪽에 걸쳐 있는 삼각형의 근육으로 위섬유, 중간섬유, 아래섬유로 구성된다. 반대쪽 근육과 합쳐지면 마름모꼴이 된다.

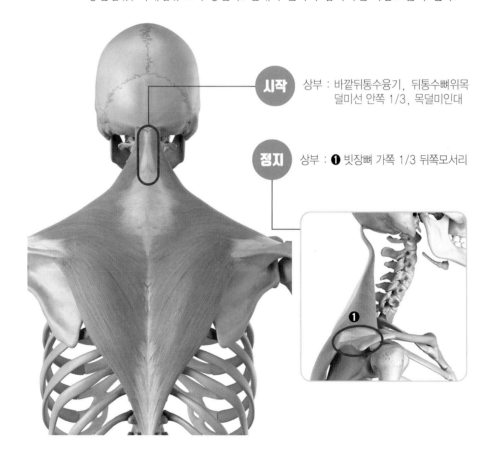

시작　　상부 : 바깥뒤통수융기, 뒤통수뼈위목
　　　　　덜미선 안쪽 1/3, 목덜미인대

정지　　상부 : ❶ 빗장뼈 가쪽 1/3 뒤쪽모서리

지배신경

목신경총 앞가지(C2~4), 더부신경 바깥가지

기능

전체 : 어깨뼈 위쪽돌림 · 모음
상부 : 어깨뼈 올리기, 한쪽 빗장뼈 올리기 · 후퇴, 두경부 폄

올림이 안 될 때 1
위등세모근 테이핑 기법

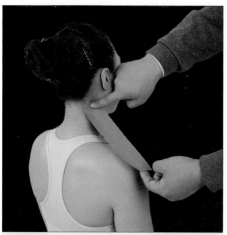

1. 테이프의 시작점을 뒷머리의 머리선에 고정한다.

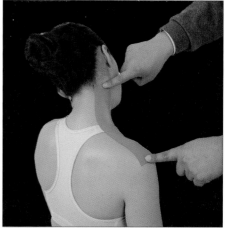

2. 목을 왼쪽으로 돌린 자세에서 테이프의 끝점을 어깨봉우리(견봉)에 부착한다.

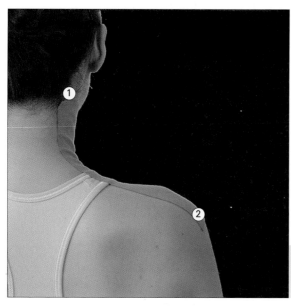

3. 완성 이미지(①뒷머리의 머리선~②어깨봉우리). 왼쪽도 동일하게 적용한다 (p.25 참조).

② 어깨올림근(견갑거근, Levator scapulae)

목을 뒤가쪽으로 하면 옆쪽에서 목빗근, 뒤쪽에서 등세모근을 덮는다. 목빗근 깊은부위를 내려간다.

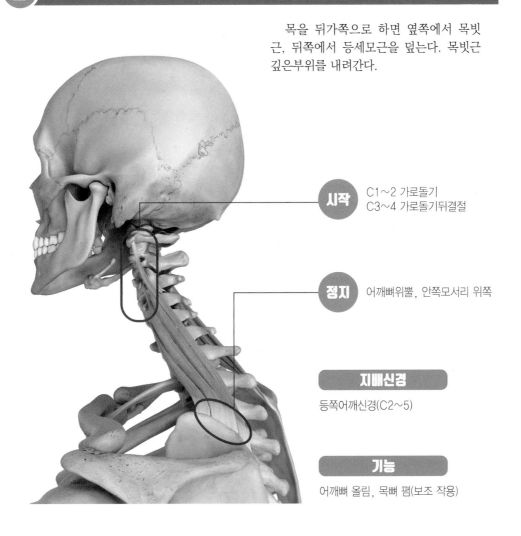

시작   C1~2 가로돌기
C3~4 가로돌기뒤결절

정지   어깨뼈위뿔, 안쪽모서리 위쪽

지배신경

등쪽어깨신경(C2~5)

기능

어깨뼈 올림, 목뼈 폄(보조 작용)

올림이 안 될 때 2
어깨올림근 테이핑 기법

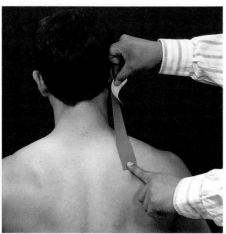

1. 테이프의 시작점을 어깨뼈(견갑골) 위안쪽모서리(상각 내측연)에 고정한다.

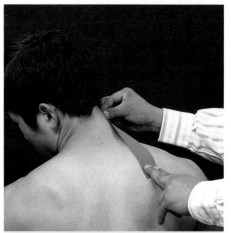

2. 목과 머리를 반대편으로 굽히고 돌린 자세에서 테이프의 끝점을 꼭지돌기(유양돌기) 방향으로 제1목뼈(C1 경추) 가로돌기(횡돌기)에 부착한다.

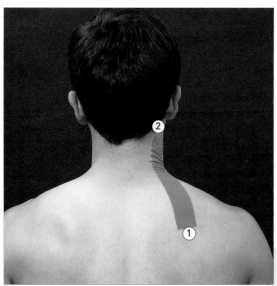

3. 완성 이미지(①어깨뼈 위안쪽모서리~②제1목뼈 가로돌기)

(3) 내림(하강, depression)이 안 될 때

1 아래등세모근(하승모근, Lower Trapezius)

등세모근은 목 뒤쪽부터 등쪽에 걸쳐 있는 삼각형의 근육으로 위섬유, 중간섬유, 아래섬유로 구성된다. 반대쪽 근육과 합쳐지면 마름모꼴이 된다.

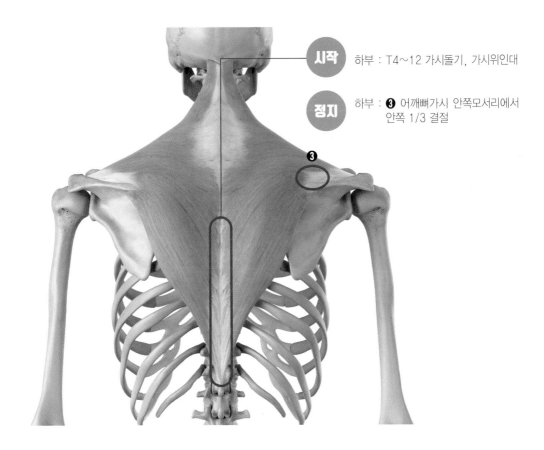

시작 하부 : T4~12 가시돌기, 가시위인대

정지 하부 : ❸ 어깨뼈가시 안쪽모서리에서 안쪽 1/3 결절

지배신경

목신경총 앞가지(C2~4), 더부신경 바깥가지

기능

전체 : 어깨뼈 위쪽돌림 · 모음
하부 : 어깨뼈 내리기 · 모음 · 위쪽돌림

내림이 안 될 때 1
아래등세모근 테이핑 기법

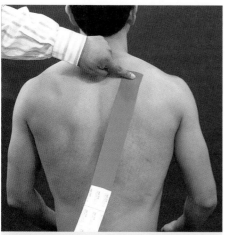

1. 테이프의 시작점을 어깨뼈(견갑골) 안쪽 모서리에 고정한다.

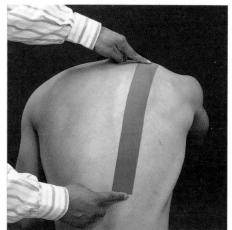

2. 손등을 이마에 대고 목과 등을 앞으로 굽힌 자세에서 테이프의 끝점을 제12등뼈(T12 흉추) 가시돌기(극돌기)에 부착한다.

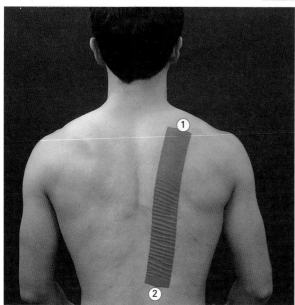

3. 완성 이미지(①어깨뼈 안쪽모서리~② 제12등뼈 가시돌기)

② 작은가슴근(소흉근, Pectoralis minor)

가슴우리 위쪽 큰가슴근 아래쪽에 있는 좁고 편평한 삼각형 근육이다. 근육섬유는 위가쪽을 향하며, 편평한 힘줄이 되어 모인다.

시작 어깨뼈 부리돌기 안쪽모서리와 윗면

정지 제3~5갈비뼈 위쪽모서리와 가쪽면, 갈비사이공간을 덮는 근막

지배신경

안쪽가슴근신경(C8~T1)

기능

어깨뼈 전방경사·아래쪽돌림, 강제호기 시 갈비뼈 올림, 가슴우리 확대

내림이 안 될 때 2
작은가슴근 테이핑 기법

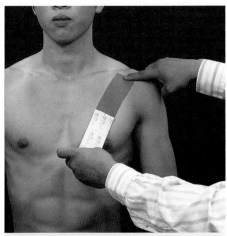

1. 테이프의 시작점을 부리돌기(오훼돌기)에 고정한다.

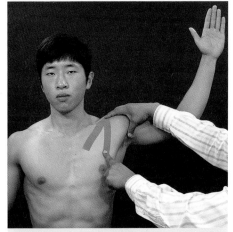

2. 팔을 벌리고 숨을 최대한 들이마셔 가슴우리(흉곽)을 팽창시킨 자세에서 테이프의 ②번 끝점을 젖꼭지 가쪽(유두 외측면)에 부착한다. 테이프의 ③번 끝점은 젖꼭지 안쪽에 부착한다.

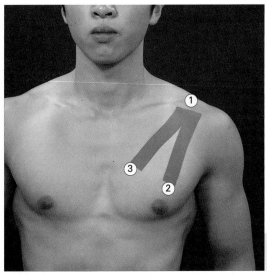

3. 완성 이미지(①부리돌기~②젖꼭지 위쪽/③젖꼭지 안쪽)

3) 위쪽/아래쪽돌림이 안 될 때

(1) ROM Test

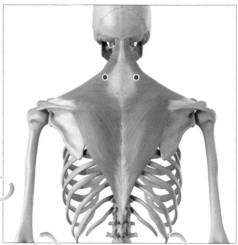

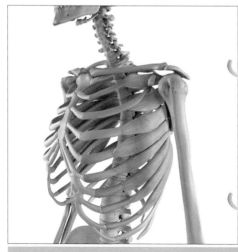

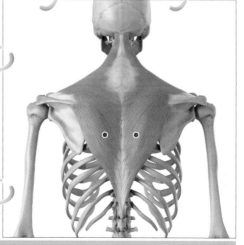

위쪽돌림이 안 될 때 → 위등세모근, 아래등세모근, 앞톱니근

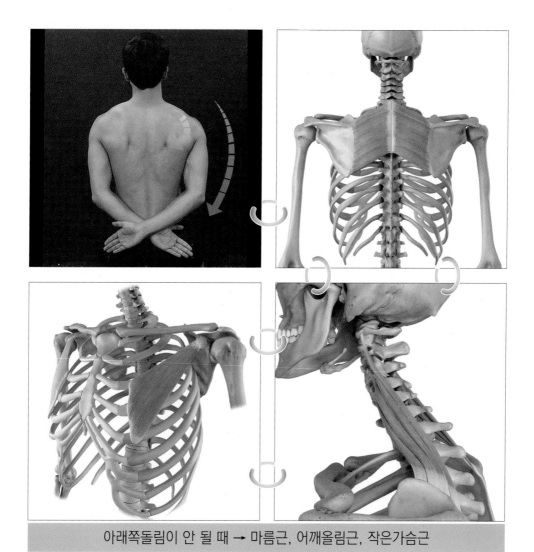

아래쪽돌림이 안 될 때 → 마름근, 어깨올림근, 작은가슴근

(2) 위쪽돌림(상방회전, upward rotation)이 안 될 때

1 ### 위등세모근(상승모근, Upper Trapezius)

등세모근은 목 뒤쪽부터 등쪽에 걸쳐 있는 삼각형의 근육으로 위섬유, 중간섬유, 아래섬유로 구성된다. 반대쪽 근육과 합쳐지면 마름모꼴이 된다.

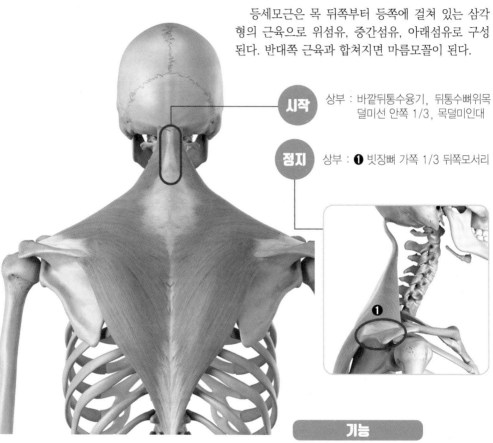

시작   상부 : 바깥뒤통수융기, 뒤통수뼈위목덜미선 안쪽 1/3, 목덜미인대

정지   상부 : ❶ 빗장뼈 가쪽 1/3 뒤쪽모서리

지배신경

목신경총 앞가지(C2~4), 더부신경 바깥가지

기능

전체 : 어깨뼈 위쪽돌림 · 모음
상부 : 어깨뼈 올리기, 한쪽 빗장뼈 올리기 · 후퇴, 두경부 폄

위쪽 돌림은 시상면을 중심으로 이루어지는 동작으로 어깨뼈(견갑골) 자체의 움직임으로 보면 아래모서리(하각, inferior angle)의 바깥쪽 운동과 오목면(관절와)의 위쪽 운동이 함께 일어난다.

위쪽돌림이 안 될 때 1
위등세모근 테이핑 기법

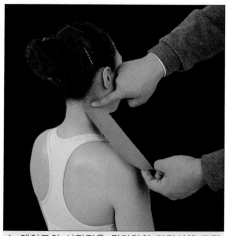

1. 테이프의 시작점을 뒷머리의 머리선에 고정한다.

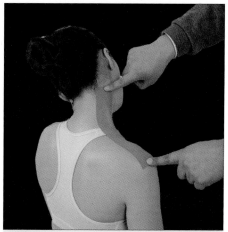

2. 목을 왼쪽으로 돌린 자세에서 테이프의 끝점을 어깨봉우리(견봉)에 부착한다.

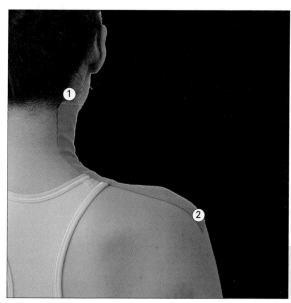

3. 완성 이미지(①뒷머리의 머리선~②어깨봉우리). 왼쪽도 동일하게 적용한다 (p.25 참조).

② 아래등세모근(하승모근, Lower Trapezius)

등세모근은 목 뒤쪽부터 등쪽에 걸쳐 있는 삼각형의 근육으로 위섬유, 중간섬유, 아래섬유로 구성된다. 반대쪽 근육과 합쳐지면 마름모꼴이 된다.

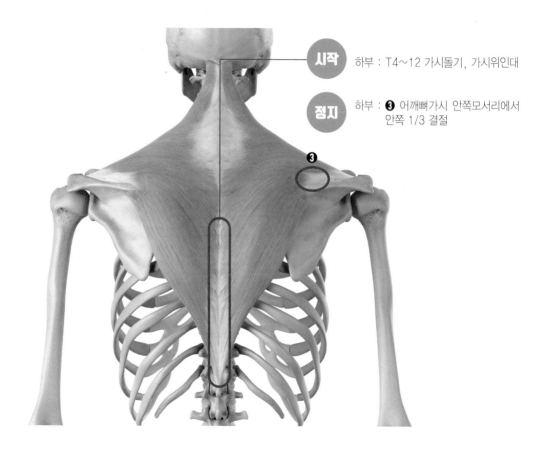

시작 하부 : T4~12 가시돌기, 가시위인대

정지 하부 : ❸ 어깨뼈가시 안쪽모서리에서 안쪽 1/3 결절

지배신경

목신경총 앞가지(C2~4), 더부신경 바깥가지

기능

전체 : 어깨뼈 위쪽돌림 · 모음
하부 : 어깨뼈 내리기 · 모음 · 위쪽돌림

위쪽돌림이 안 될 때 2
아래등세모근 테이핑 기법

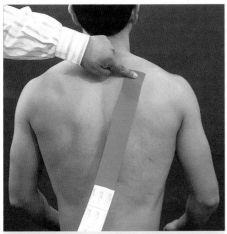

1. 테이프의 시작점을 어깨뼈(견갑골) 안쪽 모서
   리에 고정한다.

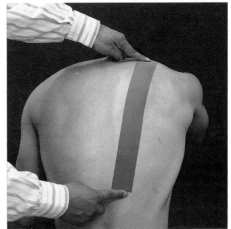

2. 손등을 이마에 대고 목과 등을 앞으로 굽힌 자
   세에서 테이프의 끝점을 제12등뼈(T12 흉추)
   가시돌기(극돌기)에 부착한다.

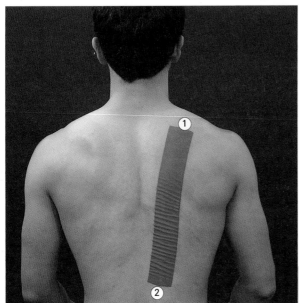

3. 완성 이미지(①어깨뼈 안쪽모서리~
   ②제12등뼈 가시돌기)

3 앞톱니근(전거근, Serratus anterior)

가슴우리 가쪽벽에 있는 톱니모양의 큰 근육이다. 갈비뼈 가쪽에서 시작하여 가슴우리를 돌아 뒤쪽에서 굽어져 어깨뼈 밑을 지나 안쪽모서리쪽으로 주행한다.

시작
상부 : 제1~2갈비뼈 가쪽면과 위쪽모서리, 바깥 늑골사이근 널힘줄
중부 : 제2갈비뼈, 바깥늑골사이근 널힘줄
하부 : 제3~8갈비뼈, 바깥늑골사이근 널힘줄

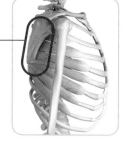

정지
어깨뼈 앞면
상부 : 위뿔 앞면의 삼각형 영역
중부 : 안쪽모서리 거의 전부
하부 : 아래각 앞면에 있는 삼각형

지배신경
긴가슴신경(C5~7)

기능
어깨뼈 벌림 · 위쪽돌림 · 앞쪽돌출

위쪽 돌림이 안 될 때 3
앞톱니근 테이핑 기법

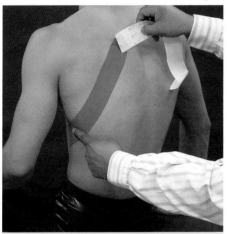

1. 테이프의 시작점을 제8갈비뼈(늑골)에 고정한다.

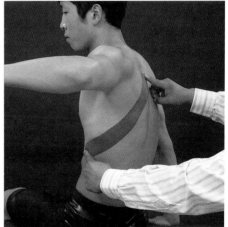

2. 팔을 들어올리고 숨을 최대한 들이마셔 가슴우리(흉곽)을 팽창시킨 자세에서 테이프의 끝점을 어깨뼈 아래모서리 안쪽(견갑극 내측연)에 부착한다.

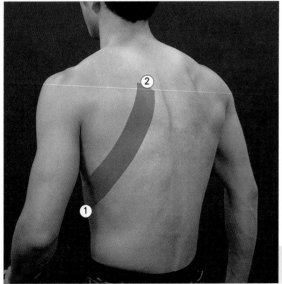

3. 완성 이미지(①제8갈비뼈~②어깨뼈 아래모서리 안쪽)

(3) 아래쪽돌림(하방회전, downward rotation)이 안 될 때

① 마름근(능형근, Rhomboid)

등 위쪽에 있는 등세모근을 덮는 마름모꼴의 근육으로, 작은마름근이 위쪽, 큰마름근이 아래쪽에 있다. 근육섬유는 가시돌기에서 어깨뼈 안쪽모서리쪽으로 비스듬히 내려간다.

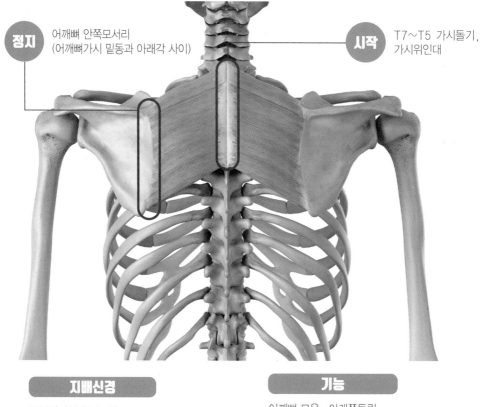

정지 어깨뼈 안쪽모서리
(어깨뼈가시 밑동과 아래각 사이)

시작 T7~T5 가시돌기,
가시위인대

지배신경

등쪽어깨신경C4~5)

기능

어깨뼈 모음 · 아래쪽돌림

아래쪽 돌림은 시상면을 중심으로 이루어지는 동작으로 어깨뼈(견갑골) 자체의 움직임으로 보면 아래모서리(하각, inferior angle)의 안쪽 운동과 오목면(관절와)의 아래쪽 운동이 함께 일어난다.

아래쪽돌림이 안 될 때 1
마름근 테이핑 기법

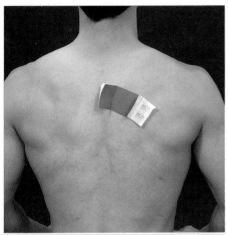

1. 테이프의 가운데 부분을 어깨뼈(견갑골)와 등뼈(흉추) 사이에 고정한다.

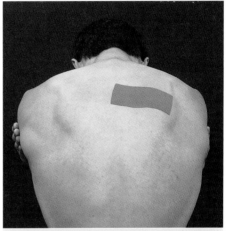

2. 양팔을 몸통 앞에서 교차시키고 목과 등을 굽힌 자세에서 테이프의 ②번 끝점을 제2등뼈(T2 흉추) 가시돌기(극돌기)와 제5등뼈(T5 흉추) 가시돌기 사이에 부착한다. 테이프의 ③번 끝점은 어깨뼈(견갑골)에 부착한다.

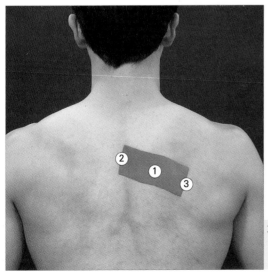

3. 완성 이미지(①제2등뼈와 제5등뼈 사이 높이에서 어깨뼈와 등뼈 사이 지점~②제2등뼈 가시돌기/③어깨뼈 안쪽모서리)

② 어깨올림근(견갑거근, Levator scapulae)

목을 뒤가쪽으로 하면 옆쪽에서 목빗근, 뒤쪽에서 등세모근을 덮는다. 목빗근 깊은부위를 내려간다.

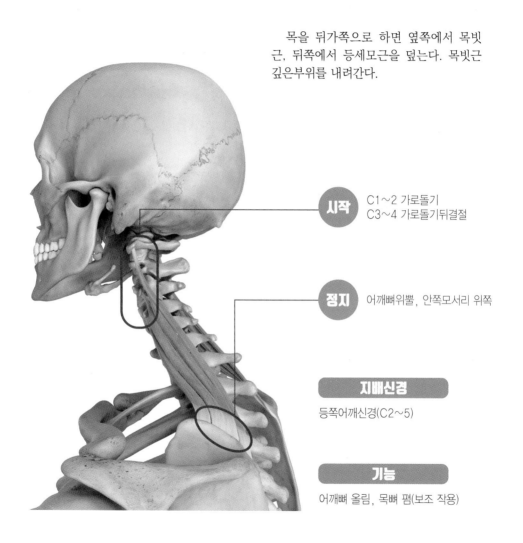

시작   C1~2 가로돌기
C3~4 가로돌기뒤결절

정지   어깨뼈위뿔, 안쪽모서리 위쪽

지배신경
등쪽어깨신경(C2~5)

기능
어깨뼈 올림, 목뼈 폄(보조 작용)

아래쪽돌림이 안 될 때 2
어깨올림근 테이핑 기법

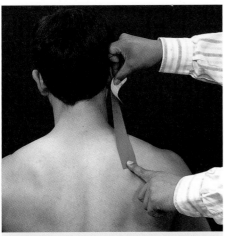

1. 테이프의 시작점을 어깨뼈(견갑골) 위안쪽모서리(상각 내측연)에 고정한다.

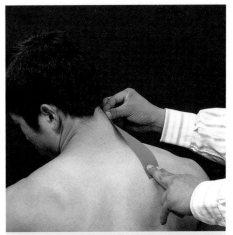

2. 목과 머리를 반대편으로 굽히고 돌린 자세에서 테이프의 끝점을 꼭지돌기(유양돌기) 방향으로 제1목뼈(C1 경추) 가로돌기(횡돌기)에 부착한다.

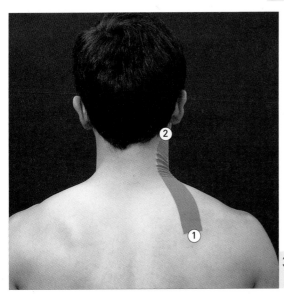

3. 완성 이미지(①어깨뼈 위안쪽모서리~②제1목뼈 가로돌기).

3 작은가슴근(소흉근, Pectoralis minor)

가슴우리 위쪽 큰가슴근 아래쪽에 있는 좁고 편평한 삼각형 근육이다. 근육섬유는 위가쪽을 향하며, 편평한 힘줄이 되어 모인다.

시작   어깨뼈 부리돌기 안쪽모서리와 윗면

정지   제3∼5갈비뼈 위쪽모서리와 가쪽면, 갈비사이공간을 덮는 근막

지배신경

안쪽가슴근신경(C8∼T1)

기능

어깨뼈 전방경사·아래쪽돌림, 강제호기 시 갈비뼈 올림, 가슴우리 확대

아래쪽돌림이 안 될 때 3
작은가슴근 테이핑 기법

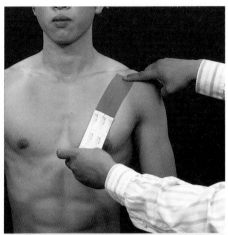

1. 테이프의 시작점을 부리돌기(오훼돌기)에 고정한다.

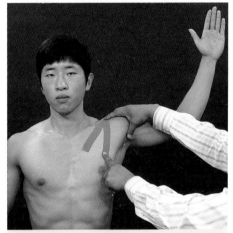

2. 팔을 벌리고 숨을 최대한 들이마셔 가슴우리(흉곽)을 팽창시킨 자세에서 테이프의 ②번 끝점을 젖꼭지 가쪽(유두 외측면)에 부착한다. 테이프의 ③번 끝점은 젖꼭지 안쪽에 부착한다.

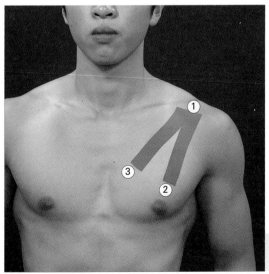

3. 완성 이미지(①부리돌기~②젖꼭지 위쪽/③젖꼭지 안쪽)

어깨가슴관절 테이핑 비교

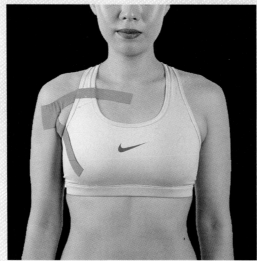

큰가슴근 테이핑

작은가슴근 테이핑

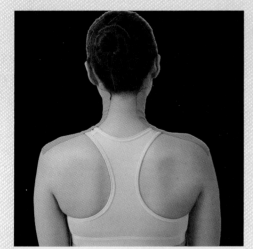

위등세모근 테이핑

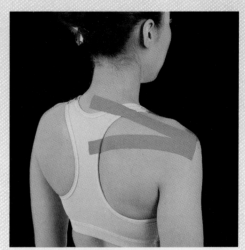

중간등세모근 테이핑

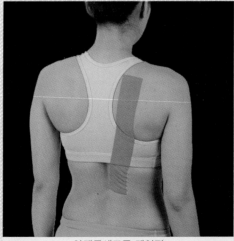

아래등세모근 테이핑

4. 팔꿈관절

4 ROM, 4 Muscles	
ROM	작용근육
굽힘(굴곡)	위팔두갈래근(상완이두근)
폄(신전)	위팔세갈래근(상완삼두근)
엎침(회내)	엎침근(회내근)
뒤침(회외)	뒤침근(회외근)/위팔두갈래근(상완이두근)
뒤침근, 엎침근, 위팔두갈래근, 위팔세갈래근	

1) 굽힘과 폄이 안 될 때

(1) ROM Test

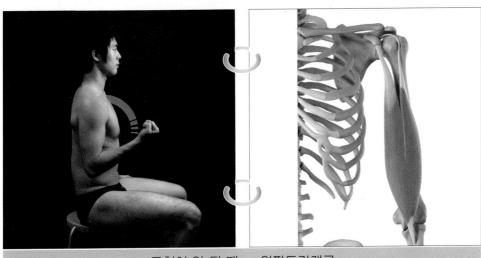

굽힘이 안 될 때 → 위팔두갈래근

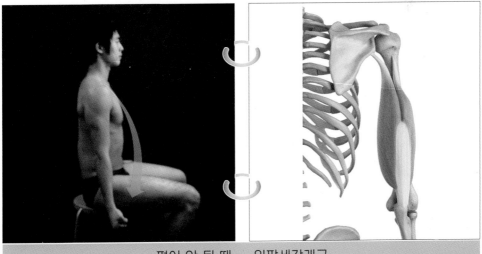

폄이 안 될 때 → 위팔세갈래근

(2) 굽힘(굴곡, flexion)이 안 될 때

위팔두갈래근(상완이두근, Biceps brachii)

위팔의 대표적인 굽힘근(굴근)으로, 위팔 앞쪽의 표층에
있는 이른바 알통을 만드는 근육이다.

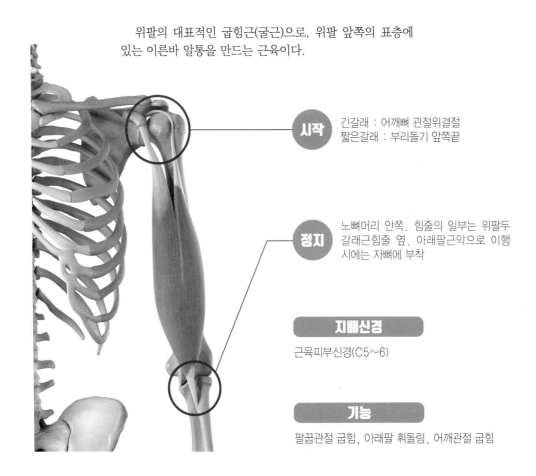

시작 긴갈래 : 어깨뼈 관절위결절
짧은갈래 : 부리돌기 앞쪽끝

정지 노뼈머리 안쪽. 힘줄의 일부는 위팔두
갈래근힘줄 옆. 아래팔근막으로 이행
시에는 자뼈에 부착

지배신경

근육피부신경(C5~6)

기능

팔꿉관절 굽힘, 아래팔 휘돌림, 어깨관절 굽힘

굽힘이 안 될 때
위팔두갈래근 테이핑 기법

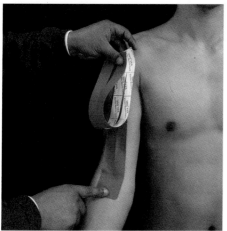

1. 테이프의 시작점을 팔꿈치오목 가쪽면(주와 외측면)에 고정한다.

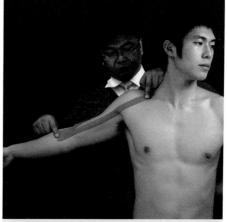

2. 어깨관절과 팔굽관절을 펴고 머리는 반대쪽으로 돌린 자세에서 테이프의 ②번 끝점을 위팔두갈래근(상완이두근) 안쪽모서리를 따라 부리돌기(오훼돌기)에 부착한다.

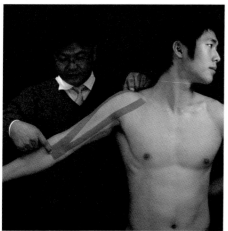

3. 팔을 안쪽으로 돌린 자세에서 테이프의 ③번 끝점을 봉우리빗장관절(견쇄관절) 방향으로 부착한다.

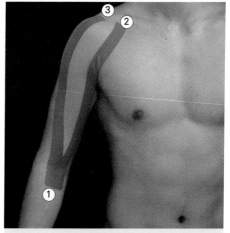

4. 완성 이미지(①팔꿈치오목 가쪽~②부리돌기/③봉우리빗장관절)

(3) 폄(신전, extension)이 안 될 때

위팔세갈래근(상완삼두근, Triceps brachii)

위팔의 등쪽에 있으며 긴갈래, 가쪽갈래, 안쪽갈래로 되어 있다. 안쪽갈래는 가장 깊은 부위에 있으며, 긴갈래와 가쪽갈래의 대부분을 덮고 있다.

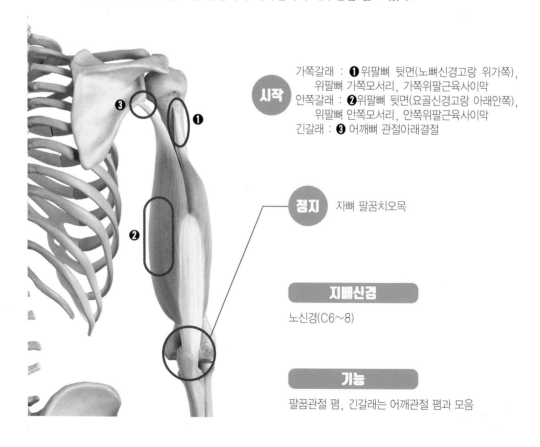

시작 가쪽갈래 : ❶ 위팔뼈 뒷면(노뼈신경고랑 위가쪽), 위팔뼈 가쪽모서리, 가쪽위팔근육사이막
안쪽갈래 : ❷위팔뼈 뒷면(요골신경고랑 아래안쪽), 위팔뼈 안쪽모서리, 안쪽위팔근육사이막
긴갈래 : ❸ 어깨뼈 관절아래결절

정지 자뼈 팔꿈치오목

지배신경

노신경(C6~8)

기능

팔꿉관절 폄, 긴갈래는 어깨관절 폄과 모음

펼이 안 될 때
위팔세갈래근 테이핑 기법

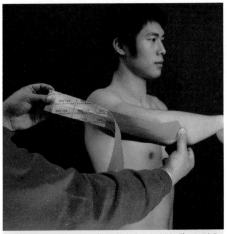

1. 팔꿈치를 굽히고 (어깨선과 나란하게) 수평으로 모은 자세에서 테이프의 시작점을 팔꿉관절머리(주관절 주두돌기)에 고정한다.

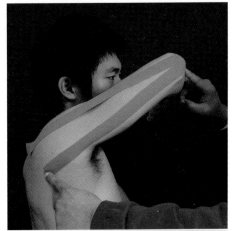

2. 팔꿈치를 이마선까지 올린 자세에서 테이프의 ②번 끝점을 어깨뼈(견갑골) 옆면에 부착한다.

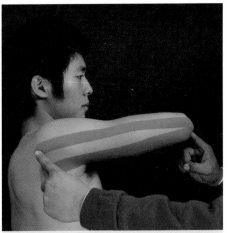

3. 팔꿈치를 턱선에 고정시킨 자세에서 테이프의 ③번 끝점을 위팔뼈머리(상완골두) 뒤쪽에 부착한다.

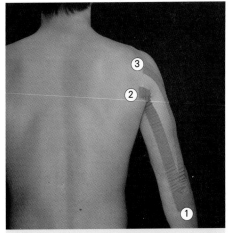

4. 완성 이미지(①팔꿉관절머리~②어깨뼈 옆면/ ③위팔뼈머리 뒤쪽)

2) 엎침과 뒤침이 안 될 때

(1) ROM Test

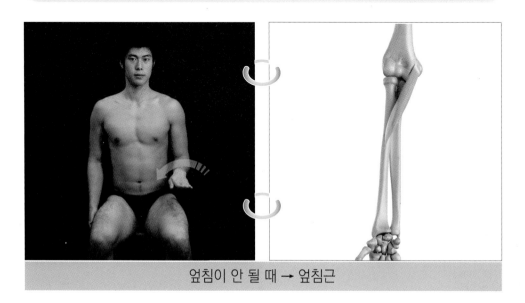

엎침이 안 될 때 → 엎침근

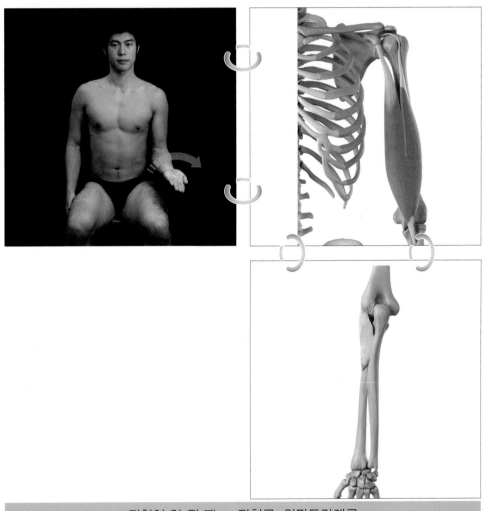

뒤침이 안 될 때 → 뒤침근, 위팔두갈래근

(2) 엎침(회내, pronation)이 안 될 때

엎침근(회내근, Pronator)

아래팔 몸쪽에 있는 작은 근육으로, 위팔갈래와 자갈래의 두 갈래로 나누어진다. 상위팔갈래와 자갈래 사이를 정중신경이 지나간다.

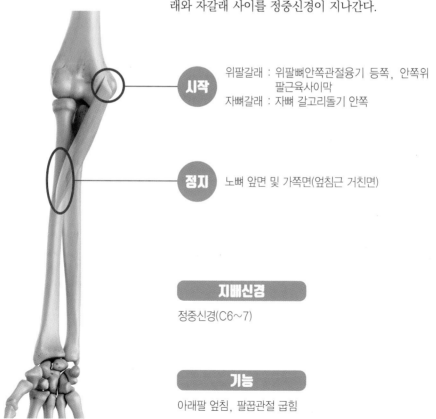

시작
위팔갈래 : 위팔뼈안쪽관절융기 등쪽, 안쪽위팔근육사이막
자뼈갈래 : 자뼈 갈고리돌기 안쪽

정지   노뼈 앞면 및 가쪽면(엎침근 거친면)

지배신경

정중신경(C6~7)

기능

아래팔 엎침, 팔꿈관절 굽힘

엎침이 안 될 때
엎침근 테이핑 기법

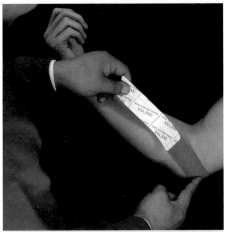

1. 아래팔 뒤침(전완 회외) 자세에서 테이프의 시작점을 팔꿈치 안쪽 위관절융기(상완골 내측상과)에 고정한다.

2. 팔꿈치를 엎침(회내)하면서 테이프의 끝점을 아래팔(전완) 중간 노뼈(요골) 방향으로 부착한다.

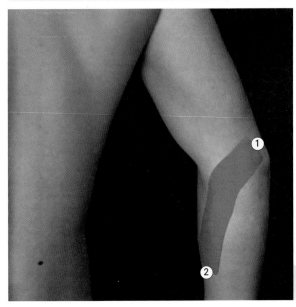

3. 완성 이미지(①팔꿈치 안쪽 위관절융기 ~②아래팔 노뼈 중간)

(3) 뒤침(회외, supination)이 안 될 때

1 뒤침근(회외근, Supinator)

아래팔 등위쪽 중앙에 있는 편평한 근육으로, 위팔뼈 가쪽관절융기에서 시작되어 2층으로 나누어진다. 2층 사이에는 노신경 깊은가지가 지나간다.

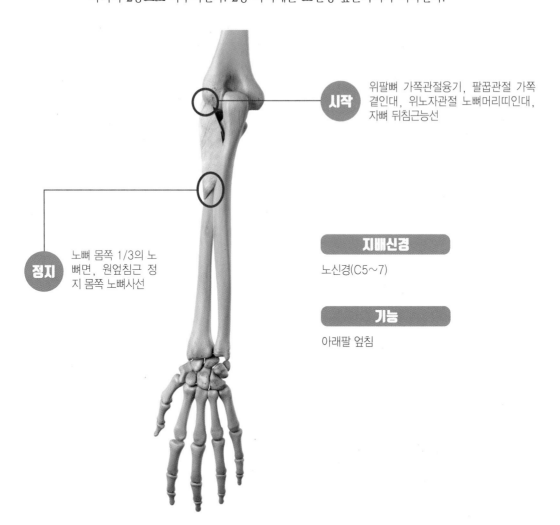

시작 위팔뼈 가쪽관절융기, 팔꿉관절 가쪽곁인대, 위노자관절 노뼈머리띠인대, 자뼈 뒤침근능선

정지 노뼈 몸쪽 1/3의 노뼈면, 원엎침근 정지 몸쪽 노뼈사선

지배신경

노신경(C5~7)

기능

아래팔 엎침

뒤침이 안 될 때 1
뒤침근 테이핑 기법

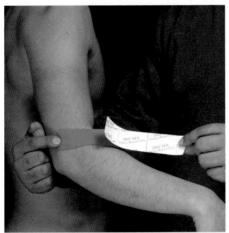

1. 팔꿈치를 굽히고 아래팔 엎침(전완 회내) 자세에서 테이프의 시작점을 팔꿈치 가쪽 위관절융기(상완골 외측상과)에 고정한다.

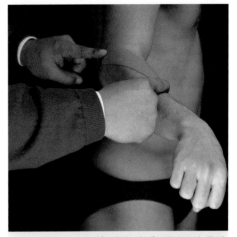

2. 팔꿈치를 펴면서(뒤침하면서) 테이프의 끝점을 노뼈(요골) 1/3 지점 안쪽의 가쪽면에 부착한다.

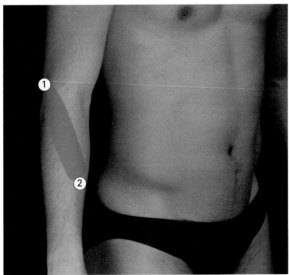

3. 완성 이미지(①팔꿈치 가쪽 위관절융기 ~②노뼈 안쪽)

② 위팔두갈래근(상완이두근, Biceps brachii)

위팔의 대표적인 굽힘근(굴근)으로, 위팔 앞쪽의 표층에
있는 이른바 알통을 만드는 근육이다.

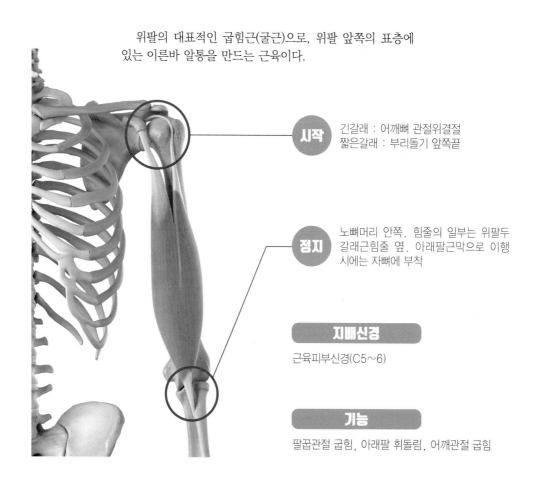

시작　긴갈래 : 어깨뼈 관절위결절
짧은갈래 : 부리돌기 앞쪽끝

정지　노뼈머리 안쪽. 힘줄의 일부는 위팔두
갈래근힘줄 옆. 아래팔근막으로 이행
시에는 자뼈에 부착

지배신경

근육피부신경(C5~6)

기능

팔꿉관절 굽힘, 아래팔 휘돌림, 어깨관절 굽힘

뒤침이 안 될 때 2
위팔두갈래근 테이핑 기법

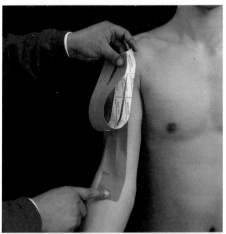

1. 테이프의 시작점을 팔꿈치오목 가쪽면(주와 외측면)에 고정한다.

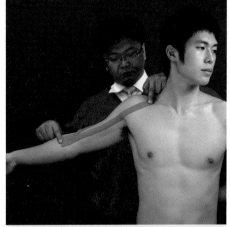

2. 어깨관절과 팔굽관절을 펴고 머리는 반대쪽으로 돌린 자세에서 테이프의 ②번 끝점을 위팔두갈래근(상완이두근) 안쪽모서리를 따라 부리돌기(오훼돌기)에 부착한다.

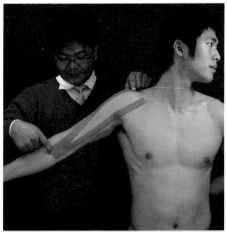

3. 팔을 안쪽으로 돌린 자세에서 테이프의 ③번 끝점을 봉우리빗장관절(견쇄관절) 방향으로 부착한다.

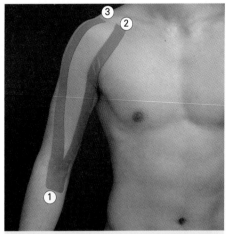

4. 완성 이미지(①팔꿈치오목 가쪽~②부리돌기/③봉우리빗장관절)

팔꿈관절 테이핑 비교

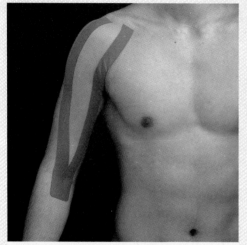

위팔두갈래근 테이핑

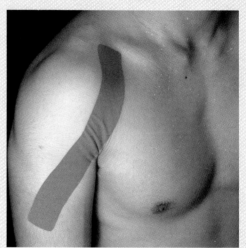

앞어깨세모근 테이핑

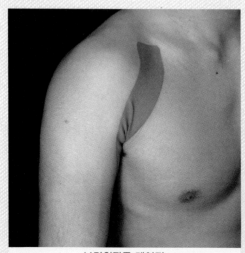

부리위팔근 테이핑

5. 손목관절

4 ROM, 5 Muscles	
ROM	작용근육
굽힘(굴곡)	노쪽손목굽힘근(요측수근굴근)/자쪽손목굽힘근(척측수근굴근)/긴손바닥근(장장근)
폄(신전)	긴노쪽손목폄근(장요측수근신근)/자쪽손목폄근(척측수근신근)
노쪽굽힘(요측편위)	긴노쪽손목폄근(장요측수근신근)/노쪽손목굽힘근(요측수근굴근)
자쪽굽힘(척측편위)	자쪽손목굽힘근(척측수근굴근)/자쪽손목폄근(척측수근신근)
긴노쪽손목폄근, 긴손바닥근, 노쪽손목굽힘근, 자쪽손목굽힘근, 자쪽손목폄근	

1) 굽힘과 폄이 안 될 때

(1) ROM Test

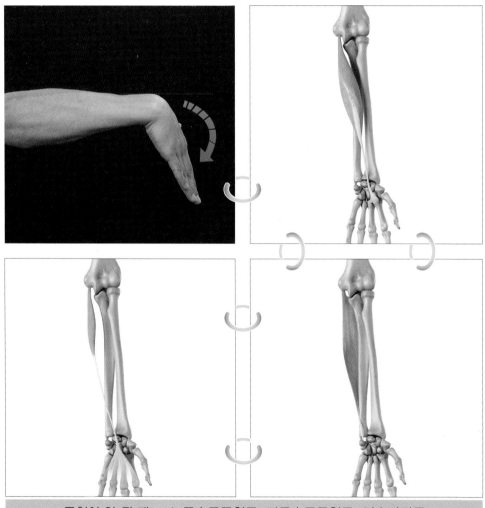

굽힘이 안 될 때 → 노쪽손목굽힘근, 자쪽손목굽힘근, 긴손바닥근

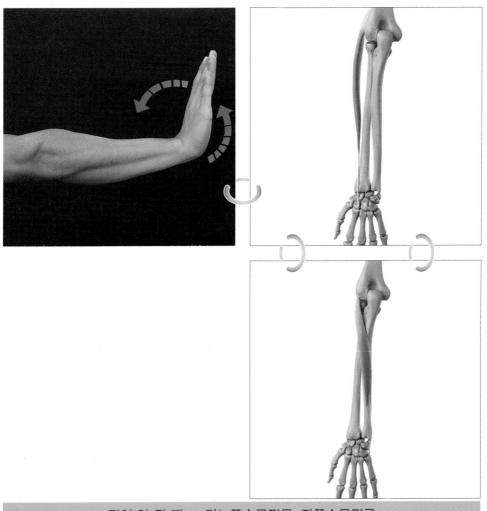

펴이 안 될 때 → 긴노쪽손목폄근, 자쪽손목폄근

(2) 굽힘(굴곡, flexion)이 안 될 때

1 # 노쪽손목굽힘근(요측수근굴근, Flexor carpi radialis)

아래팔 노쪽에 있는 원추모양의 근육이다. 이 근육의 자쪽에는
긴손바닥근이, 깊은부위에는 얕은손가락굽힘근이 주행한다.

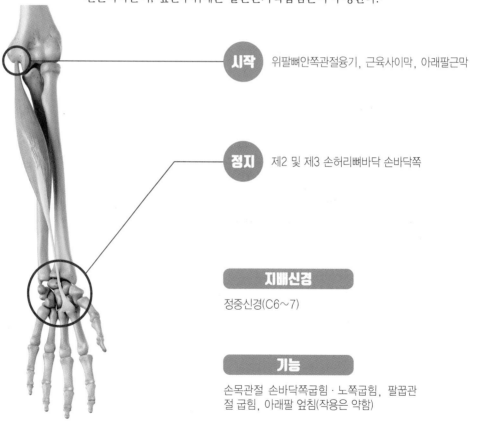

시작 위팔뼈안쪽관절융기, 근육사이막, 아래팔근막

정지 제2 및 제3 손허리뼈바닥 손바닥쪽

지배신경

정중신경(C6~7)

기능

손목관절 손바닥쪽굽힘 · 노쪽굽힘, 팔꿈관
절 굽힘, 아래팔 엎침(작용은 약함)

굽힘이 안 될 때 1
노쪽손목굽힘근 테이핑 기법

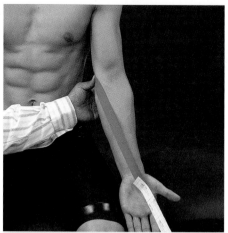

1. 테이프의 시작점을 팔꿈치 안쪽 위관절융기(상완골 내측상과)에 부착한다.

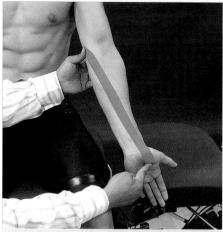

2. 손목을 최대한 편 자세에서 테이프의 끝점을 손바닥 제2손허리뼈머리(중수골)에 부착한다.

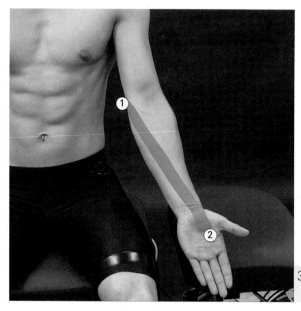

3. 완성 이미지(①팔꿈치 안쪽 위관절융기 ~②제2손허리뼈머리)

② 자쪽손목굽힘근(척측수근굴근, Flexor carpi ulnaris)

아래팔의 굽힘근 중에서 가장 자쪽에 있는 근육으로, 위팔
갈래와 자갈래가 있다. 이 두 개의 두(갈래)가 힘줄아치에 의해
이어진다. 그 아래를 자신경이 지나간다.

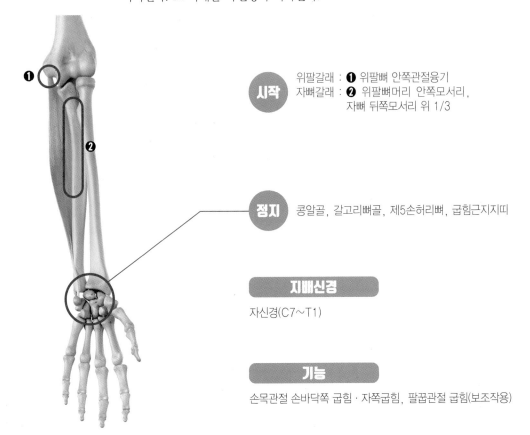

시작
위팔갈래 : ❶ 위팔뼈 안쪽관절융기
자뼈갈래 : ❷ 위팔뼈머리 안쪽모서리,
　　　　　 자뼈 뒤쪽모서리 위 1/3

정지 콩알골, 갈고리뼈골, 제5손허리뼈, 굽힘근지지띠

지배신경

자신경(C7~T1)

기능

손목관절 손바닥쪽 굽힘·자쪽굽힘, 팔꿉관절 굽힘(보조작용)

굽힘이 안 될 때 2
자쪽손목굽힘근 테이핑 기법

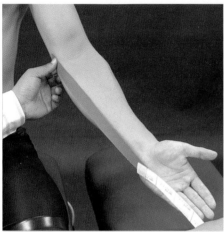

1. 테이프의 시작점을 팔꿈치 안쪽 위관절융기(상완골 내측상과)에 부착한다.

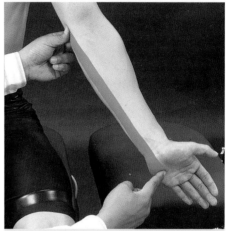

2. 손목을 최대한 펴서 노쪽으로 굽힌(요측편위) 자세에서 테이프의 끝점을 새끼두덩근육(소지구근) 윗부분 콩알뼈(두상골)에 부착한다.

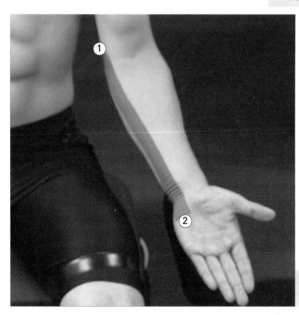

3. 완성 이미지(①팔꿈치 안쪽 위관절융기 ~②새끼두덩근육)

3 긴손바닥근(장장근, Palmaris longus)

가늘고 긴 근육으로, 위팔뼈 안쪽위관절융기에서 시작하여 노쪽손목굽힘근 자쪽을 주행한다. 힘줄과 함께 굽힘근지지띠를 넘어 손바닥에 부채모양의 손바닥널힘줄을 이룬다.

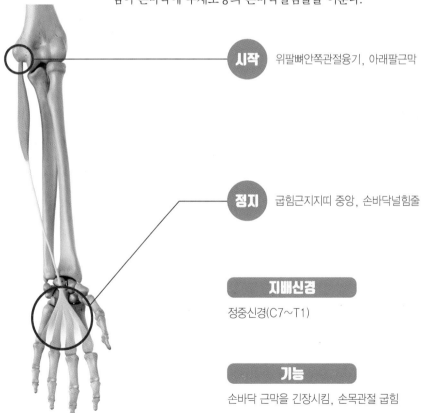

시작 위팔뼈안쪽관절융기, 아래팔근막

정지 굽힘근지지띠 중앙, 손바닥널힘줄

지배신경

정중신경(C7~T1)

기능

손바닥 근막을 긴장시킴, 손목관절 굽힘

굽힘이 안 될 때 3
긴손바닥근 테이핑 기법

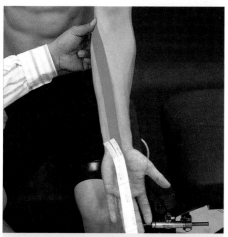

1. 테이프의 시작점을 팔꿈치 안쪽 위관절융기(상 완골 내측상과)에 부착한다.

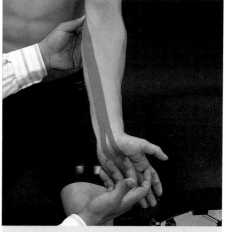

2. 손목을 최대한 편 자세에서 테이프의 ②번 끝 점을 둘째손가락(집게손가락) 방향으로 손바닥 에 부착한다. 테이프의 ③번 끝점은 넷째손가 락(반지손가락)과 다섯째손가락(새끼손가락) 중간 방향으로 부착한다.

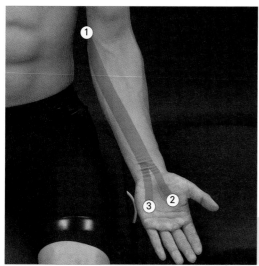

3. 완성 이미지(①팔꿈치 안쪽위관절융기~②둘째 손가락방향 손바닥/③넷째와 다섯째 손가락 방 향 손바닥)

(3) 폄(신전, extension)이 안 될 때

1 긴노쪽손목폄근(장요측수근신근, Extensor carpi radialis longus)

아래팔의 위팔노근 가쪽에서 아래를 향한다. 근육섬유는 아래팔 중앙에서 편평한 힘줄이 되어 노뼈 가쪽을 따라 내려간다.

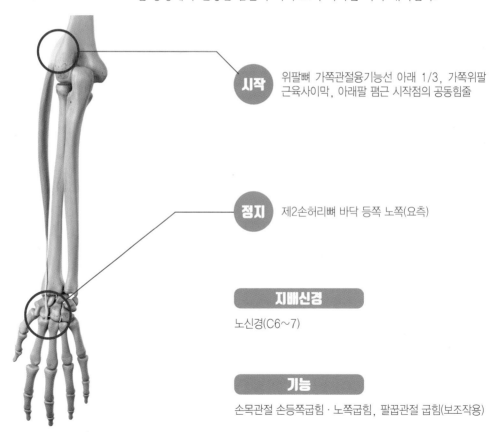

시작 위팔뼈 가쪽관절융기능선 아래 1/3, 가쪽위팔근육사이막, 아래팔 폄근 시작점의 공동힘줄

정지 제2손허리뼈 바닥 등쪽 노쪽(요측)

지배신경

노신경(C6~7)

기능

손목관절 손등쪽굽힘 · 노쪽굽힘, 팔꿉관절 굽힘(보조작용)

펴이 안 될 때 1
긴노쪽손목폄근 테이핑 기법

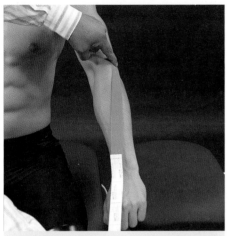

1. 주먹을 쥔 자세에서 테이프의 시작점을 팔꿈치 가쪽 위관절융기(상완골 외측상과)에 고정한다.

2. 손목을 최대한 굽힌 자세에서 테이프의 끝점을 손등 위 제2, 3손허리뼈머리(중수골)에 부착한다.

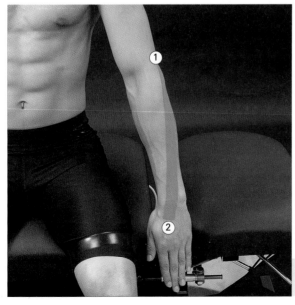

3. 완성 이미지(①팔꿈치 가쪽 위관절융기 ~②제2, 3손허리뼈머리)

② 자쪽손목폄근(척측수근신근, Extensor carpi ulnaris)

근복(힘살)은 아래팔 등쪽에서 폄근 가장 자쪽으로 내려간다. 폄근 지지띠 밑의 제6관을 지나 손등으로 나와 제5손허리뼈 바닥을 향한 다. 손등쪽굽힘뿐만 아니라 강한 자쪽굽힘 기능도 있다.

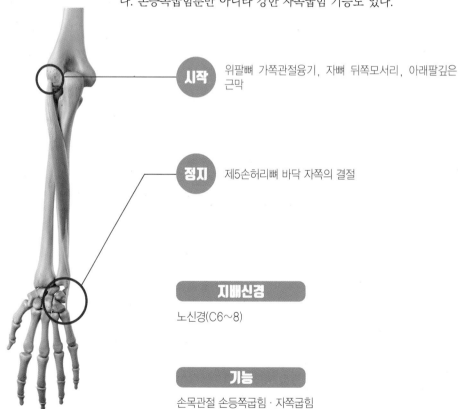

시작 위팔뼈 가쪽관절융기, 자뼈 뒤쪽모서리, 아래팔깊은 근막

정지 제5손허리뼈 바닥 자쪽의 결절

지배신경

노신경(C6~8)

기능

손목관절 손등쪽굽힘 · 자쪽굽힘

펌이 안 될 때 2
자쪽손목폄근 테이핑 기법

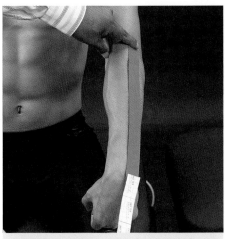

1. 주먹을 쥔 자세에서 테이프의 시작점을 팔꿈치 가쪽 위관절융기(상완골 외측상과)에 고정한다.

2. 손목을 최대한 굽힌 자세에서 테이프의 끝점을 손등 위 제5손허리뼈머리(중수골) 가쪽면(외측면)에 부착한다.

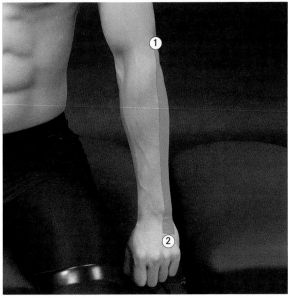

3. 완성 이미지(①팔꿈치 가쪽 위관절융기 ~②제5손허리뼈머리 가쪽면)

2) 노쪽/자쪽굽힘이 안 될 때

(1) ROM Test

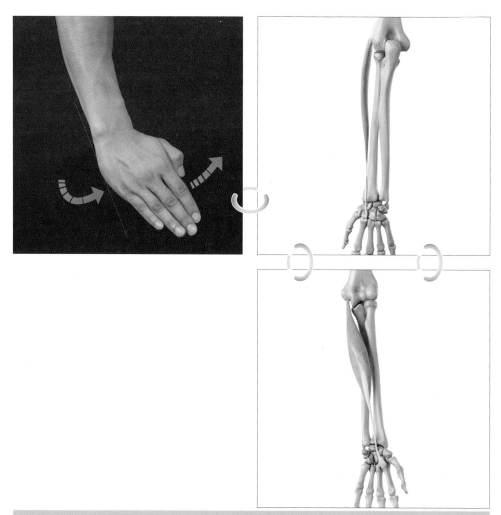

노쪽굽힘이 안 될 때 → 긴노쪽손목폄근, 노쪽손목굽힘근

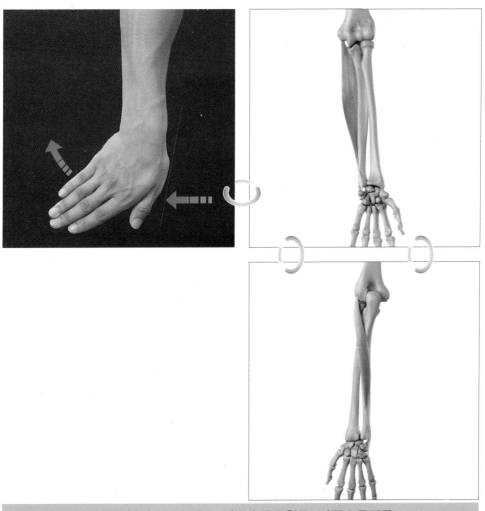

자쪽굽힘이 안 될 때 → 자쪽손목굽힘근, 자쪽손목폄근

(2) 노쪽굽힘(요측편위, radial deviation)이 안 될 때

1 긴노쪽손목폄근(장요측수근신근, Extensor carpi radialis longus)

아래팔의 위팔노근 가쪽에서 아래를 향한다. 근육섬유는 아래
팔 중앙에서 편평한 힘줄이 되어 노뼈 가쪽을 따라 내려간다.

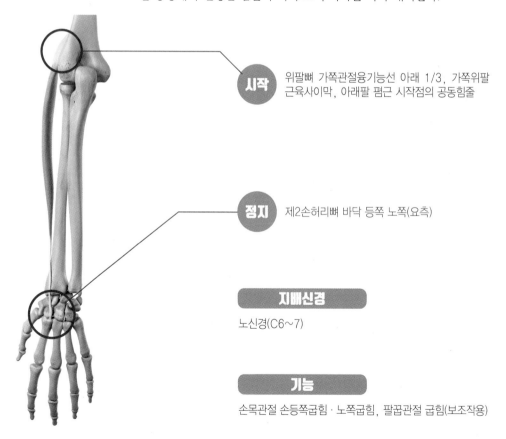

시작 위팔뼈 가쪽관절융기능선 아래 1/3, 가쪽위팔
근육사이막, 아래팔 폄근 시작점의 공동힘줄

정지 제2손허리뼈 바닥 등쪽 노쪽(요측)

지배신경

노신경(C6~7)

기능

손목관절 손등쪽굽힘 · 노쪽굽힘, 팔꿉관절 굽힘(보조작용)

노쪽굽힘이 안 될 때 1
긴노쪽손목폄근 테이핑 기법

1. 주먹을 쥔 자세에서 테이프의 시작점을 팔꿈치 가쪽 위관절융기(상완골 외측상과)에 고정한다.

2. 손목을 최대한 굽힌 자세에서 테이프의 끝점을 손등 위 제2, 3손허리뼈머리(중수골)에 부착한다.

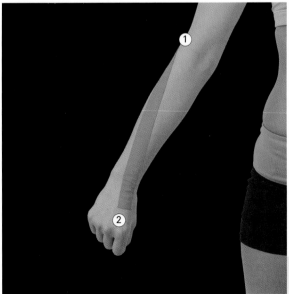

3. 완성 이미지(①팔꿈치 가쪽 위관절융기 ~②제2, 3손허리뼈머리)

② 노쪽손목굽힘근(요측수근굴근, Flexor carpi radialis)

아래팔 노쪽에 있는 원추모양의 근육이다. 이 근육의 자쪽에는
긴손바닥근이, 깊은부위에는 얕은손가락굽힘근이 주행한다.

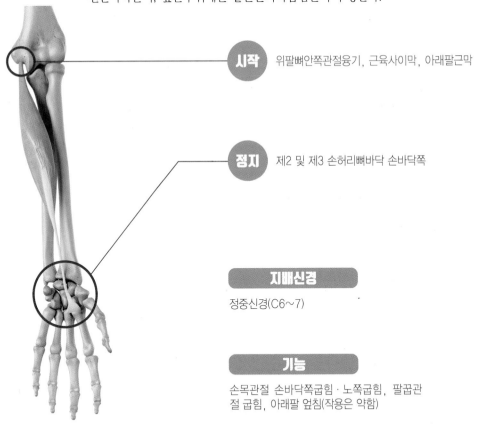

시작 위팔뼈안쪽관절융기, 근육사이막, 아래팔근막

정지 제2 및 제3 손허리뼈바닥 손바닥쪽

지배신경

정중신경(C6~7)

기능

손목관절 손바닥쪽굽힘·노쪽굽힘, 팔꿉관
절 굽힘, 아래팔 엎침(작용은 약함)

노쪽굽힘이 안 될 때 2
노쪽손목굽힘근 테이핑 기법

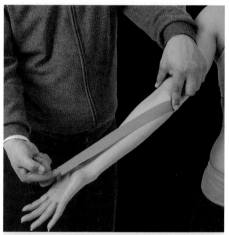

1. 테이프의 시작점을 팔꿈치 안쪽 위관절융기(상완골 내측상과)에 부착한다.

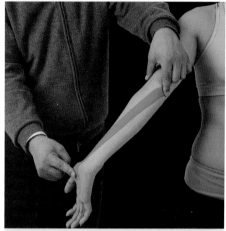

2. 손목을 최대한 편 자세에서 테이프의 끝점을 손바닥 제2손허리뼈머리(중수골)에 부착한다.

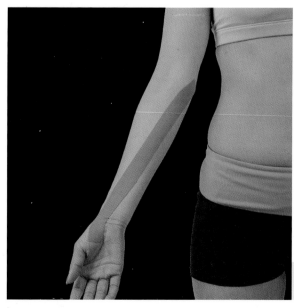

3. 완성 이미지(①팔꿈치 안쪽 위관절융기 ~②제2손허리뼈머리)

(3) 자쪽굽힘(척측편위, ulnar deviation)이 안 될 때

1 자쪽손목굽힘근(척측수근굴근, Flexor carpi ulnaris)

아래팔의 굽힘근 중에서 가장 자쪽에 있는 근육으로, 위팔갈래와 자갈래가 있다. 이 두 개의 두(갈래)가 힘줄아치에 의해 이어진다. 그 아래를 자신경이 지나간다.

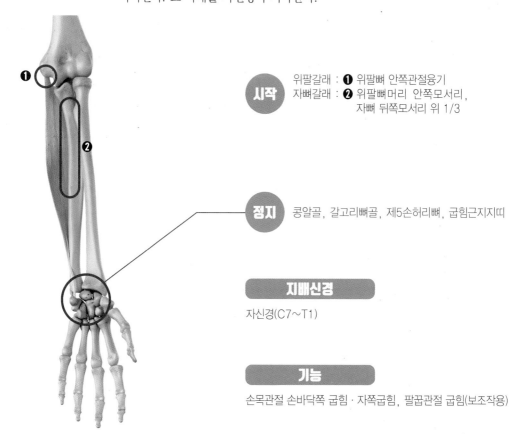

시작
위팔갈래 : ❶ 위팔뼈 안쪽관절융기
자뼈갈래 : ❷ 위팔뼈머리 안쪽모서리,
자뼈 뒤쪽모서리 위 1/3

정지 콩알골, 갈고리뼈골, 제5손허리뼈, 굽힘근지지띠

지배신경

자신경(C7~T1)

기능

손목관절 손바닥쪽 굽힘 · 자쪽굽힘, 팔꿈관절 굽힘(보조작용)

자쪽굽힘이 안 될 때 1
자쪽손목굽힘근 테이핑 기법

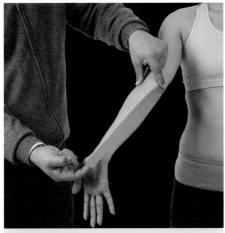

1. 테이프의 시작점을 팔꿈치 안쪽 위관절융기(상 완골 내측상과)에 부착한다.

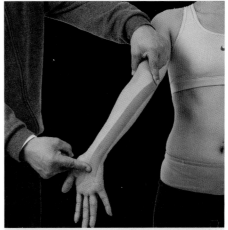

2. 손목을 최대한 펴서 노쪽으로 굽힌(요측편위) 자세에서 테이프의 끝점을 새끼두덩근육(소지 구근) 윗부분 콩알뼈(두상골)에 부착한다.

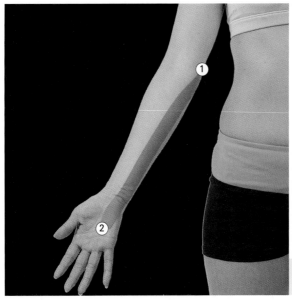

3. 완성 이미지(①팔꿈치 안쪽 위관절융기 ~②새끼두덩근육)

② 자쪽손목폄근(척측수근신근, Extensor carpi ulnaris)

근복(힘살)은 아래팔 등쪽에서 폄근 가장 자쪽으로 내려간다. 폄근 지지띠 밑의 제6관을 지나 손등으로 나와 제5손허리뼈 바닥을 향한 다. 손등쪽굽힘뿐만 아니라 강한 자쪽굽힘 기능도 있다.

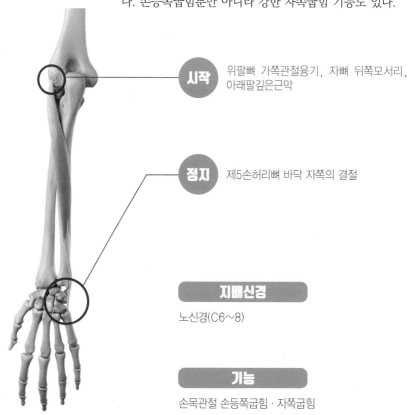

시작 위팔뼈 가쪽관절융기, 자뼈 뒤쪽모서리, 아래팔깊은근막

정지 제5손허리뼈 바닥 자쪽의 결절

지배신경

노신경(C6~8)

기능

손목관절 손등쪽굽힘 · 자쪽굽힘

자쪽굽힘이 안 될 때 2
자쪽손목폄근 테이핑 기법

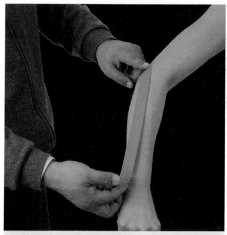

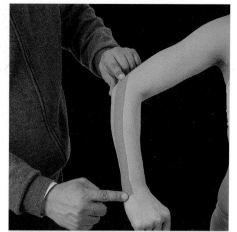

1. 주먹을 쥔 자세에서 테이프의 시작점을 팔꿈치 가쪽 위관절융기(상완골 외측상과)에 고정한다.

2. 손목을 최대한 굽힌 자세에서 테이프의 끝점을 손등 위 제5손허리뼈머리(중수골) 가쪽면(외측면)에 부착한다.

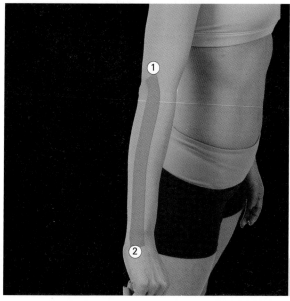

3. 완성 이미지(①팔꿈치 가쪽 위관절융기 ~②제5손허리뼈머리 가쪽면)

손목관절 테이핑 비교

노쪽손목굽힘근 테이핑

자쪽손목굽힘근 테이핑

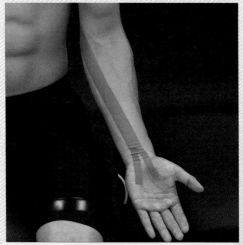

긴손바닥근 테이핑

긴노쪽손목폄근 테이핑

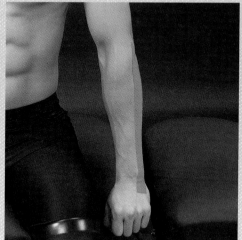

자쪽손목폄근 테이핑

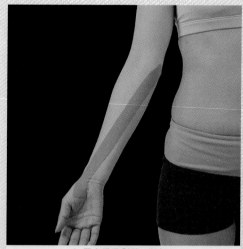

노쪽손목굽힘근 테이핑

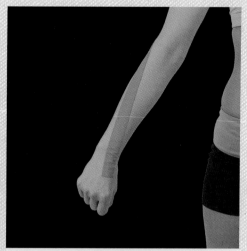

긴노쪽손목폄근 테이핑

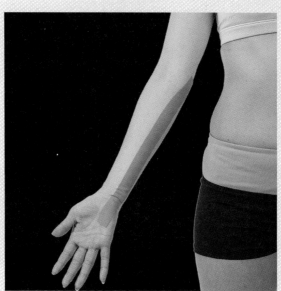

자쪽손목굽힘근 테이핑

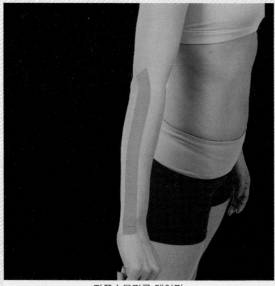

자쪽손목폄근 테이핑

6. 손가락관절

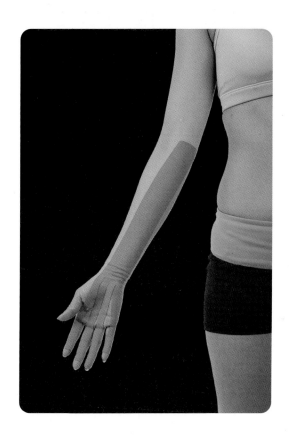

2 ROM, 5 Muscles	
ROM	작용근육
굽힘(굴곡)	얕은손가락굽힘근(천지굴근)/깊은손가락굽힘근(심지굴근)
폄(신전)	손가락폄근(지신근)/집게폄근(시지신근)/새끼폄근(소지신근)
깊은손가락굽힘근, 새끼폄근, 손가락폄근, 얕은손가락굽힘근, 집게폄근	

1) 굽힘과 폄이 안 될 때

(1) ROM Test

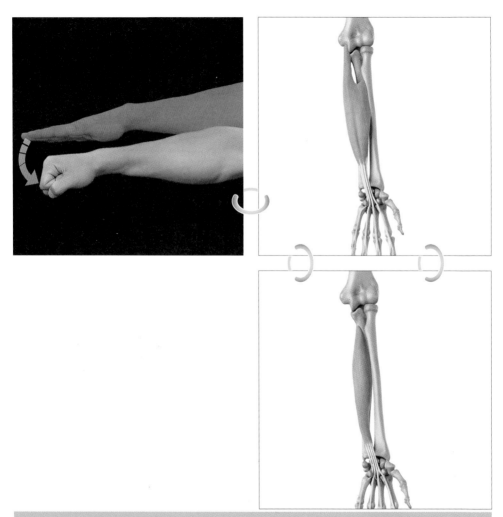

굽힘이 안 될 때 → 얕은손가락굽힘근, 깊은손가락굽힘근

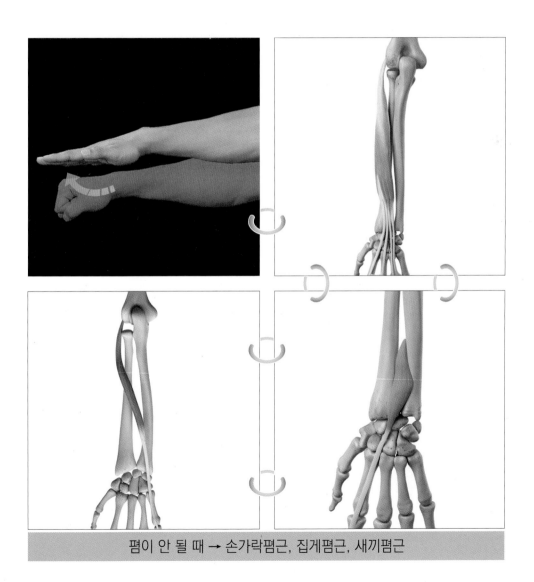

펴이 안 될 때 → 손가락폄근, 집게폄근, 새끼폄근

(2) 굽힘(굴곡, flexion)이 안 될 때

1 **얕은손가락굽힘근**(천지굴근, Flexor digitorum superficialis)

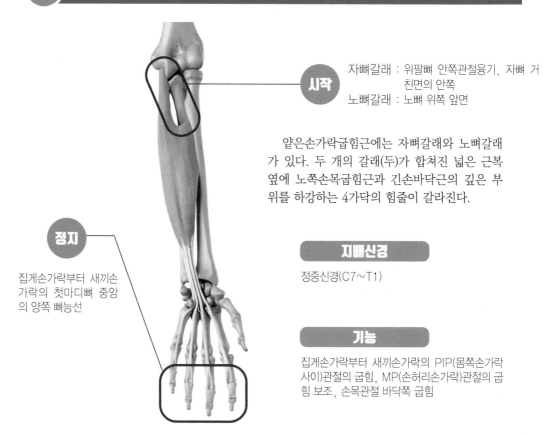

시작

자뼈갈래 : 위팔뼈 안쪽관절융기, 자뼈 거
친면의 안쪽
노뼈갈래 : 노뼈 위쪽 앞면

얕은손가락굽힘근에는 자뼈갈래와 노뼈갈래
가 있다. 두 개의 갈래(두)가 합쳐진 넓은 근복
옆에 노쪽손목굽힘근과 긴손바닥근의 깊은 부
위를 하강하는 4가닥의 힘줄이 갈라진다.

정지

집게손가락부터 새끼손
가락의 첫마디뼈 중앙
의 양쪽 뼈능선

지배신경

정중신경(C7~T1)

기능

집게손가락부터 새끼손가락의 PIP(몸쪽손가락
사이)관절의 굽힘, MP(손허리손가락)관절의 굽
힘 보조, 손목관절 바닥쪽 굽힘

얕은손가락굽힘근은 팔꿈치 안쪽 위관절융기(상완골 내측상과), 자뼈 붓돌기, 노뼈 앞
면 등에서 기시하여 둘째~다섯째손가락 중간마디에 정지하며, 둘째~다섯째손가락의 몸
쪽손가락사이관절(근위지절간관절)을 굽힘시킨다. 깊은손가락굽힘근은 자뼈(척골) 앞면
뼈사이막(골간막)에서 기시하여 둘째~다섯째손가락 끝마디에 정지하며, 둘째~다섯째손가
락의 먼쪽손가락사이관절(원위지절간관절)을 굽힘시킨다. 따라서 얕은손가락굽힘근의 기
시부와 깊은손가락굽힘근의 정지부 사이를 테이핑하면 얕은손가락굽힘근과 깊은손가락
굽힘근을 한꺼번에 테이핑할 수 있다.

굽힘이 안 될 때
얕은/깊은손가락굽힘근 테이핑 기법

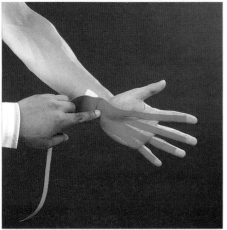

1. 테이프의 시작점(①번)을 손바닥의 제2~제5 손가락 끝에 고정한다.

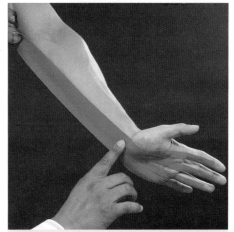

2. 손가락과 손목을 최대한 편 자세에서 테이프의 끝점(②번)을 팔꿈치 안쪽 위관절융기(상완골 내측상과)에 부착한다.

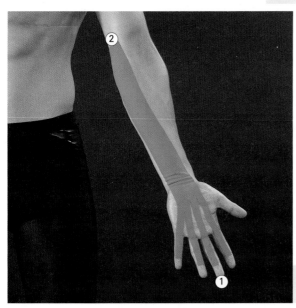

3. 완성 이미지(①제2~5손가락 끝/②팔꿈치 안쪽 위관절융기)

② 깊은손가락굽힘근(심지굴근, Flexor digitorum profundus)

깊은손가락굽힘근 깊은 부위의 아래팔뼈사이막 앞쪽에 있다. 4개의 근복으로 나누어지며, 먼쪽에서 힘줄로 이행한다.

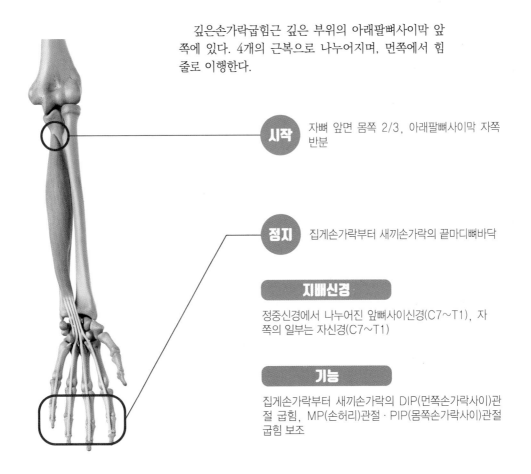

시작 자뼈 앞면 몸쪽 2/3, 아래팔뼈사이막 자쪽 반분

정지 집게손가락부터 새끼손가락의 끝마디뼈바닥

지배신경

정중신경에서 나누어진 앞뼈사이신경(C7~T1), 자쪽의 일부는 자신경(C7~T1)

기능

집게손가락부터 새끼손가락의 DIP(먼쪽손가락사이)관절 굽힘, MP(손허리)관절 · PIP(몸쪽손가락사이)관절 굽힘 보조

(3) 폄(신전, extension)이 안 될 때

1 집게폄근(시지신근, Extensor indicis)

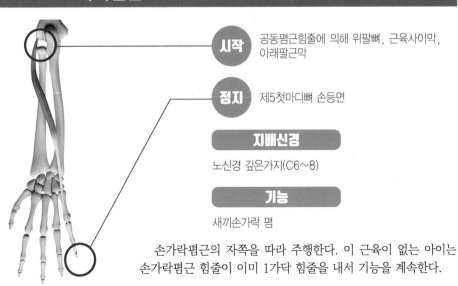

시작 자뼈 뒷면 아래 1/3, 아래팔뼈사이막

정지 제2손허리뼈머리에서 손가락폄근힘줄 안쪽과 결합되어 손가락등힘줄막으로 이행

지배신경

노신경 깊은가지(C6~8)

기능

집게손가락 폄, 손목관절 손등쪽 굽힘

긴엄지폄근 먼쪽에서 시작되어 인접된 손목관절로 간다. 근복은 손가락폄근·새끼폄근·자쪽손목폄근이 덮고 있다.

2 새끼폄근(소지신근, Extensor digiti minimi)

시작 공동폄근힘줄에 의해 위팔뼈, 근육사이막, 아래팔근막

정지 제5첫마디뼈 손등면

지배신경

노신경 깊은가지(C6~8)

기능

새끼손가락 폄

손가락폄근의 자쪽을 따라 주행한다. 이 근육이 없는 아이는 손가락폄근 힘줄이 이미 1가닥 힘줄을 내서 기능을 계속한다.

③ 손가락폄근(지신근, Extensor digitorum)

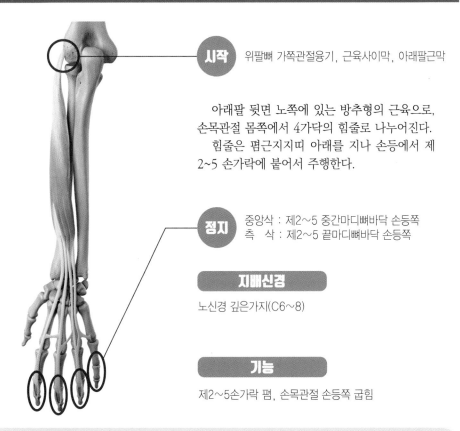

시작 위팔뼈 가쪽관절융기, 근육사이막, 아래팔근막

아래팔 뒷면 노쪽에 있는 방추형의 근육으로, 손목관절 몸쪽에서 4가닥의 힘줄로 나누어진다. 힘줄은 폄근지지띠 아래를 지나 손등에서 제2~5 손가락에 붙어서 주행한다.

정지 중앙삭 : 제2~5 중간마디뼈바닥 손등쪽
측　삭 : 제2~5 끝마디뼈바닥 손등쪽

지배신경

노신경 깊은가지(C6~8)

기능

제2~5손가락 폄, 손목관절 손등쪽 굽힘

　　손가락폄근(Extensor Digitorum)은 위팔뼈 가쪽관절융기(외측상과)에서 기시하여 둘째~다섯째손가락 중간마디에 정지하며, 둘째~다섯째손가락 손허리손가락관절(중수지절관절)을 편다. 집게폄근(Extensor Indicis)은 자뼈 뒤쪽에서 기시하여 둘째손가락(시지) 폄근널힘줄(신근건막)에 정지하며, 둘째손가락(시지) 손허리손가락관절을 편다. 새끼폄근(Extensor Digiti Minimi)은 위팔뼈 가쪽관절융기(상완골 외측상과)에서 기시하여 다섯째손가락 폄근널힘줄에 정지하며, 다섯째손가락 손허리손가락관절을 편다. 따라서 손가락폄근과 새끼폄근의 기시부와 손가락폄근의 정지부 사이를 테이핑하면 손가락폄근, 집게폄근, 새끼폄근을 한꺼번에 테이핑할 수 있다.

폄이 안 될 때
손가락폄근. 집게폄근. 새끼폄근 테이핑 기법

1. 손가락을 구부린 자세에서 테이프의 시작점
   (①번)을 손등의 제2~제5손가락 중간마디에
   고정한다.

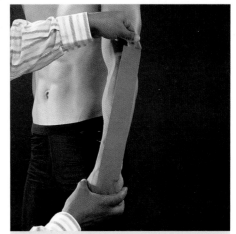

2. 손가락과 손목을 최대한 굽힌 자세에서 테이프
   의 끝점(②번)을 팔꿈치 가쪽 위관절융기(상완
   골 외측상과)에 부착한다.

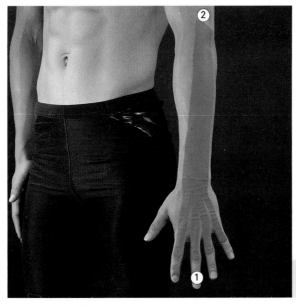

3. 완성 이미지(①제2~5손가락 중간마디/
   ②팔꿈치 가쪽 위관절융기)

7. 엄지손가락관절

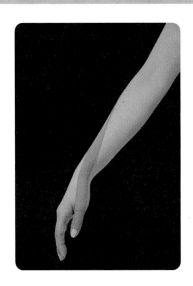

5 ROM, 7 Muscles	
ROM	작용근육
굽힘(굴곡)	긴엄지굽힘근(장무지굴근)/짧은엄지굽힘근(단무지굴근)
폄(신전)	긴엄지폄근(장무지신근)/짧은엄지폄근(단무지신근)
모음(내전)	엄지모음근(무지내전근)
벌림(외전)	긴엄지벌림근(장무지외전근)
맞섬(대립)	엄지맞섬근(무지대립근)

**긴엄지굽힘근, 긴엄지벌림근, 긴엄지폄근, 엄지맞섬근,
엄지모음근, 짧은엄지굽힘근, 짧은엄지폄근**

영문(라틴어) 표현으로는 엄지손가락은 Pollicis, 엄지발가락은 Hallucis로 구분이 명확하다. 그러나 국문으로는 모지, 무지 등이 혼용되고 있다. 이 책에서는 엄지손가락에 관련된 개정 전 명칭은 무지로, 엄지발가락에 관련된 개정 전 명칭은 모지로 정리한다.

1) 굽힘과 폄이 안 될 때

(1) ROM Test

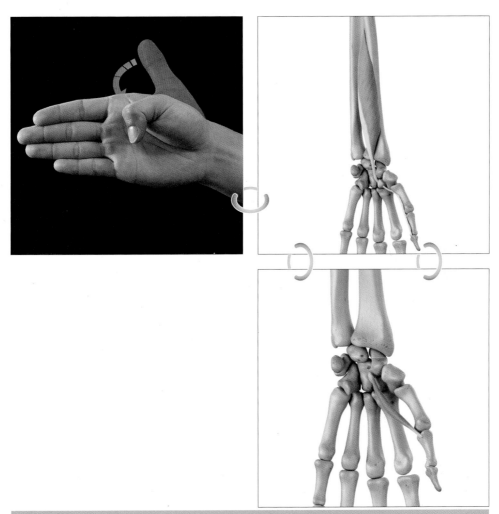

굽힘이 안 될 때 → 긴엄지굽힘근, 짧은엄지굽힘근

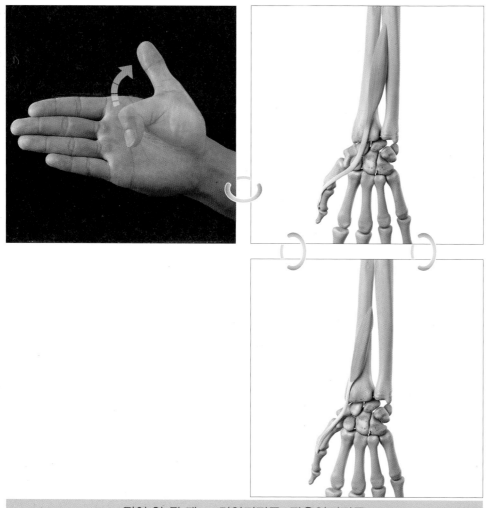

펴이 안 될 때 → 긴엄지폄근, 짧은엄지폄근

(2) 굽힘(굴곡, flexion)이 안 될 때

1 짧은엄지굽힘근(단무지굴근, Flexor pollicis brevis)

얕은갈래와 깊은갈래가 있다. 얕은갈래는 보다 가쪽에서 긴엄지굽
힘근 힘줄과 함께 주행한다. 깊은갈래는 안쪽에 있고, 제1손바닥뼈사
이근이라고도 한다.

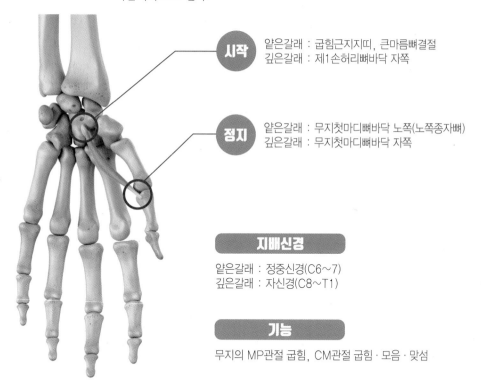

시작
얕은갈래 : 굽힘근지지띠, 큰마름뼈결절
깊은갈래 : 제1손허리뼈바닥 자쪽

정지
얕은갈래 : 무지첫마디뼈바닥 노쪽(노쪽종자뼈)
깊은갈래 : 무지첫마디뼈바닥 자쪽

지배신경

얕은갈래 : 정중신경(C6~7)
깊은갈래 : 자신경(C8~T1)

기능

무지의 MP관절 굽힘, CM관절 굽힘 · 모음 · 맞섬

② 긴엄지굽힘근(장무지굴근, Flexor pollicis longus)

아래팔 깊은부위에 있으며, 위쪽은 얕은손가락굽힘근 노쪽갈래가 덮고, 요골 앞면에서 시작되는 근복은 반깃 모양이다. 힘줄은 깊은손가락굽힘근힘 줄다발 가쪽을 따라 내려간다.

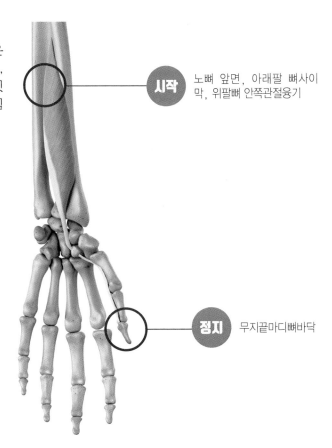

시작
노뼈 앞면, 아래팔 뼈사이 막, 위팔뼈 안쪽관절융기

정지
무지끝마디뼈바닥

지배신경
정중신경에서 갈라진 앞뼈사이신경(C6~7)

기능
무지의 IP(손가락뼈사이)관절 굴곡, 무지의 MP·CM(손목손허리)관절 굽힘(보조작용), 손목관절 손바닥쪽 굽힘(보조작용)

긴엄지굽힘근(Flexor Pollicis Longus)은 노뼈에서 기시하여 엄지 끝마디에 정지하며, 엄지손가락사이관절을 굴곡시킨다. 짧은엄지굽힘근(Flexor Pollicis Brevis)은 큰마름뼈, 작음마름뼈, 알머리뼈 등 손목뼈에서 기시하여 엄지 첫마디에 정지하며, 엄지 손허리손가락관절을 굽힌다. 따라서 엄지손가락관절의 굽힘이 안 될 때는 긴엄지굽힘근에 테이핑한다.

굽힘이 안 될 때
긴엄지굽힘근 테이핑 기법

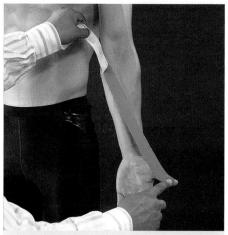

1. 테이프의 시작점을 손바닥의 엄지손가락 끝에 고정한다.

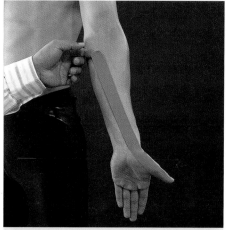

2. 손가락과 손목을 최대한 편 자세에서 테이프의 끝점을 팔꿈치 안쪽 위관절융기(상완골 내측상과) 방향으로 부착한다.

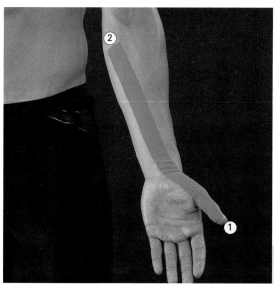

3. 완성 이미지(①엄지손가락 끝~②팔꿈치 안쪽 위관절융기)

(3) 폄(신전, extension)이 안 될 때

1 긴엄지폄근(장무지신근, Extensor pollicis longus)

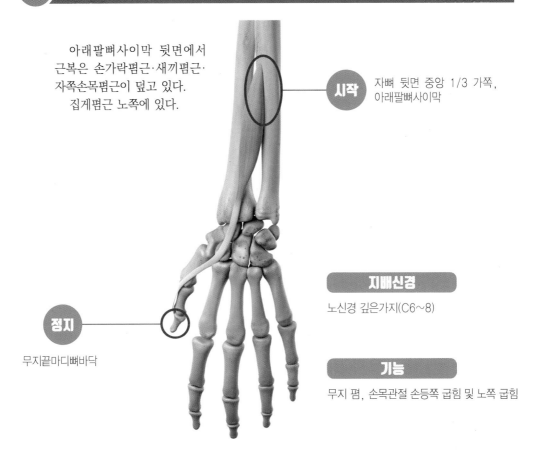

아래팔뼈사이막 뒷면에서 근복은 손가락폄근·새끼폄근·자쪽손목폄근이 덮고 있다. 집게폄근 노쪽에 있다.

시작 자뼈 뒷면 중앙 1/3 가쪽, 아래팔뼈사이막

정지 무지끝마디뼈바닥

지배신경 노신경 깊은가지(C6~8)

기능 무지 폄, 손목관절 손등쪽 굽힘 및 노쪽 굽힘

긴엄지폄근(Extensor Pollicis Longus)은 자뼈에서 기시하여 엄지 끝마디에 정지하며, 엄지 손가락사이관절을 신전시킨다. 짧은엄지폄근(Extensor Pollicis Brevis)은 노뼈 후면에서 기시하여 엄지 첫마디에 정지하며, 엄지 손허리손가락관절을 신전시킨다. 따라서 엄지손가락관절의 폄이 안 될 때는 긴엄지폄근에 테이핑한다.

펴이 안 될 때
긴엄지폄근 테이핑 기법

1. 테이프의 시작점을 손등의 엄지손가락 끝에 고정한다.

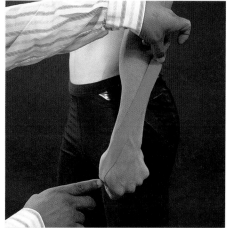

2. 엄지손가락을 최대한 굽히고, 손목을 최대한 자쪽굽힘(척측편위) 자세에서 테이프의 끝점을 팔꿈치 가쪽 위관절융기(상완골 외측상과) 방향으로 부착한다.

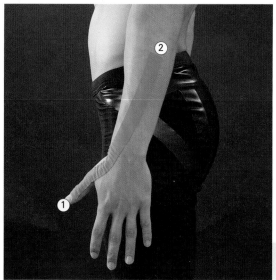

3. 완성 이미지(①엄지손가락 끝~②팔꿈치 가쪽 위관절융기 방향)

② 짧은엄지폄근(단무지신근, Extensor pollicis brevis)

시작 노뼈 뒷면, 아래팔뼈사이막

노뼈 뒷면 자쪽 긴엄지벌림근 먼쪽에서 시작되어 비스듬히 노쪽 아래로 주행한다.

손목관절 몸쪽에서는 긴·짧은노쪽손목폄근 위를 가로로 비스듬히 주행한다.

정지

무지첫마디뼈바닥

지배신경

노신경 깊은가지(C6~7)

기능

무지 폄 · 벌림, 손목관절 손바닥쪽 굽힘 · 노쪽 굽힘

2) 모음과 벌림이 안 될 때

(1) ROM Test

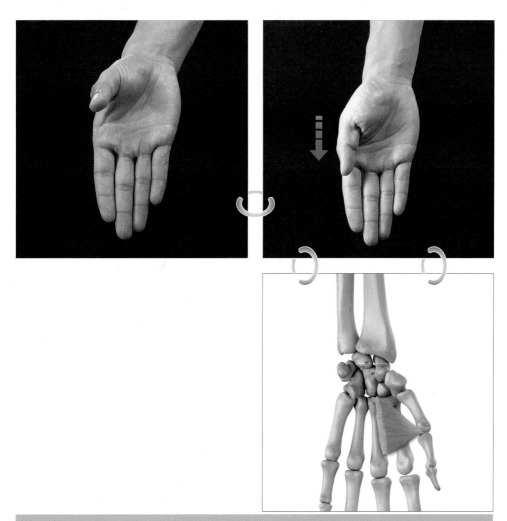

모음이 안 될 때 → 엄지모음근

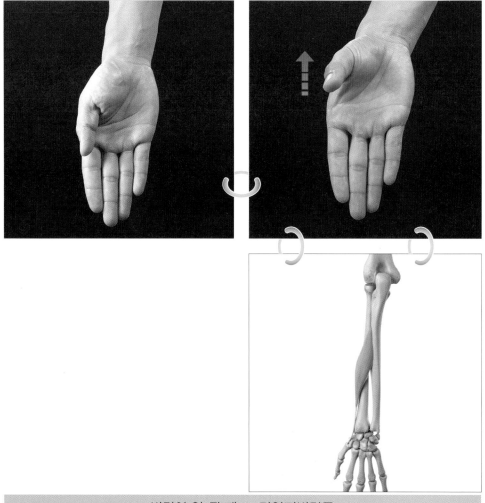

벌림이 안 될 때 → 긴엄지벌림근

엄지손가락관절 동작 비교

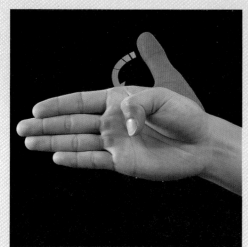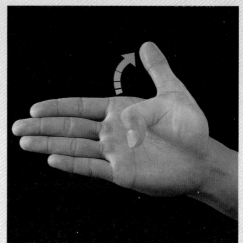

굽힘과 폄 동작

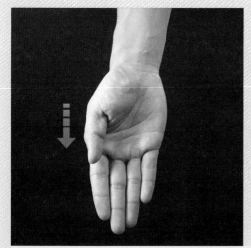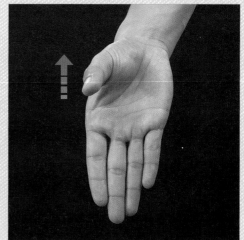

모음과 벌림 동작

(2) 모음(내전, adduction)이 안 될 때

엄지모음근(무지내전근, Adductor pollicis)

엄지두덩(무지구) 근육 중 가장 깊은부위에 있으며, 빗갈래(사두)와 가로갈래(횡두)가 있다. 정중신경이 마비되면 엄지두덩은 위축되지만, 자신경이 지배하는 엄지모음근의 기능은 남아 있다.

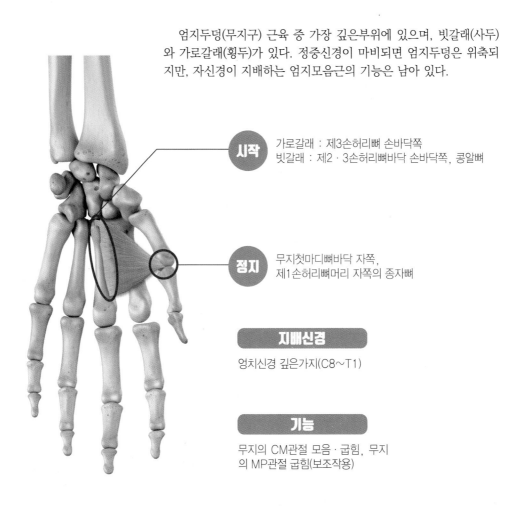

시작 가로갈래 : 제3손허리뼈 손바닥쪽
빗갈래 : 제2 · 3손허리뼈바닥 손바닥쪽, 콩알뼈

정지 무지첫마디뼈바닥 자쪽,
제1손허리뼈머리 자쪽의 종자뼈

지배신경

엉치신경 깊은가지(C8~T1)

기능

무지의 CM관절 모음 · 굽힘, 무지의 MP관절 굽힘(보조작용)

모음이 안 될 때
엄지모음근 테이핑 기법

1. 손바닥을 편 자세에서 테이프의 시작점을 손바닥의 제1손허리뼈(중수골)에 고정한다.

2. 손가락을 최대한 벌린 자세에서 테이프의 끝점을 손바닥의 제3손허리뼈(중수골)에 부착한다.

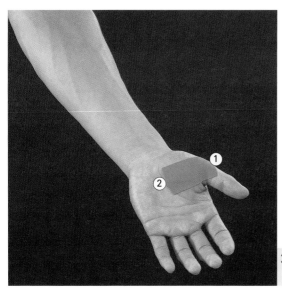

3. 완성 이미지(①제1손허리뼈~②제3손허리뼈)

(3) 벌림(외전, abduction)이 안 될 때

긴엄지벌림근(장무지외전근, Abductor pollicis longus)

손뒤침근(회외근) 바로 아래쪽에 있으며, 때로는 손뒤침근과 합쳐진다.
아래쪽에서 가쪽으로 비스듬히 내려가 손목관절 부위에서 힘줄이 된다.

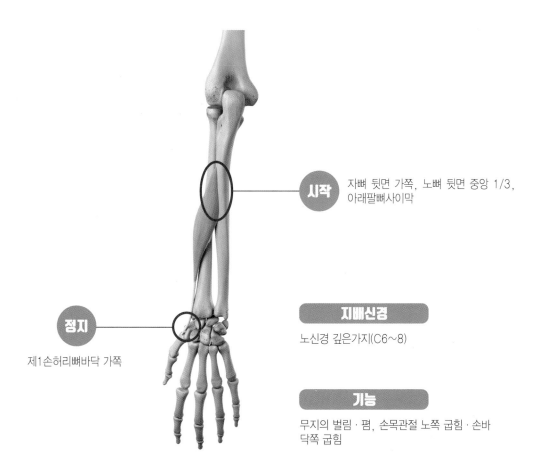

시작 자뼈 뒷면 가쪽, 노뼈 뒷면 중앙 1/3, 아래팔뼈사이막

정지 제1손허리뼈바닥 가쪽

지배신경 노신경 깊은가지(C6~8)

기능 무지의 벌림 · 폄, 손목관절 노쪽 굽힘 · 손바닥쪽 굽힘

벌림이 안 될 때
긴엄지벌림근 테이핑 기법

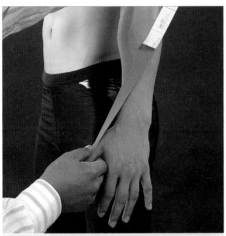

1. 테이프의 시작점을 손등의 제1손허리뼈(중수골)에 고정한다.

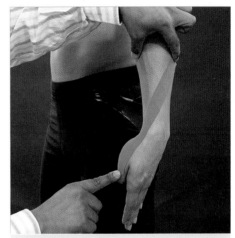

2. 엄지손가락을 굽혀서 손바닥에 닿게 하고 자쪽굽힘(척측편위) 자세에서 테이프의 끝점을 노뼈(요골) 몸쪽(근위) 1/3 지점에 부착한다.

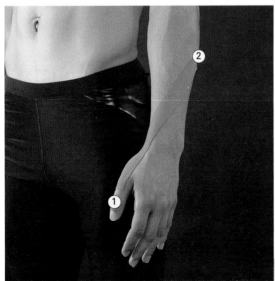

3. 완성 이미지(①제1손허리뼈~②노뼈 몸쪽)

엄지손가락관절 테이핑 비교

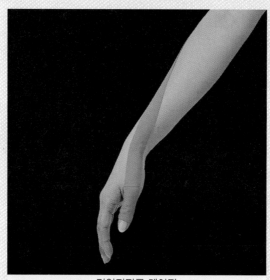

긴엄지폄근 테이핑

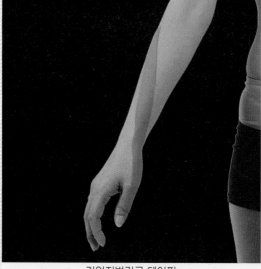

긴엄지벌림근 테이핑

3) 맞섬이 안 될 때

(1) ROM Test

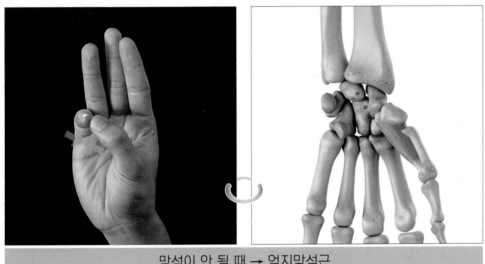

맞섬이 안 될 때 → 엄지맞섬근

(2) 맞섬(대립, opposition)이 안 될 때

엄지맞섬근(무지대립근, Opponens pollicis)

짧은엄지벌림근이 덮고 있다. 주로 물건을 잡을 때(CM관절 벌림과 안쪽돌림이 동시에 일어나는 대립운동) 작동한다.

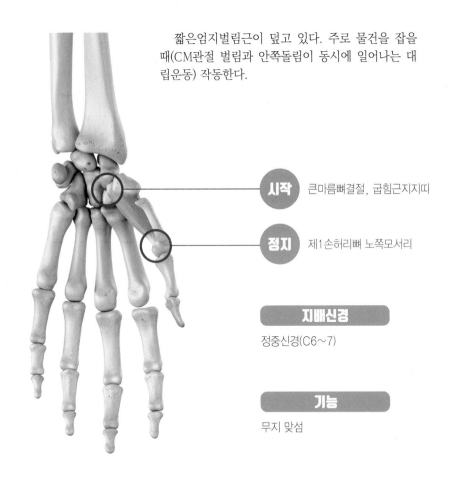

시작 큰마름뼈결절, 굽힘근지지띠

정지 제1손허리뼈 노쪽모서리

지배신경

정중신경(C6~7)

기능

무지 맞섬

맞섬이 안 될 때
엄지맞섬근 테이핑 기법

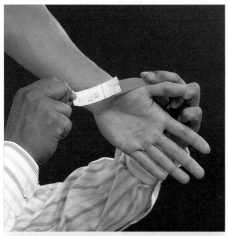

1. 테이프의 시작점을 손바닥의 제1손허리뼈(중수골)에 고정한다.

2. 엄지손가락을 펴서 뒤로 젖힌 자세에서 테이프의 ②번 끝점을 새끼두덩근(소지구근) 방향으로 부착한다.

3. 테이프의 ③번 끝점을 제1손허리뼈(중수골) 바깥면을 따라 부착한다.

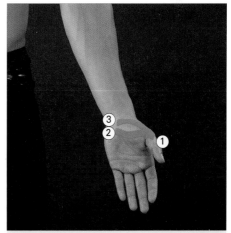

4. 완성 이미지(①제1손허리뼈~②새끼두덩근/③제1손허리뼈 바깥면)

8. 가슴허리관절

6 ROM, 5 Muscles	
ROM	작용근육
굽힘(굴곡)	배곧은근(복직근)
폄(신전)	척주세움근(척추기립근)
왼쪽가쪽굽힘(좌측굴)	왼쪽 허리네모근(요방형근)
오른쪽가쪽굽힘(우측굴)	오른쪽 허리네모근(요방형근)
왼쪽돌림(좌회전)	오른쪽 배바깥빗근(외복사근), 왼쪽 배속빗근(내복사근)
오른쪽돌림(우회전)	왼쪽 배바깥빗근(외복사근), 오른쪽 배속빗근(내복사근)
배곧은근, 배바깥빗근, 배속빗근, 척주세움근, 허리네모근	

1) 굽힘과 폄이 안 될 때

(1) ROM Test

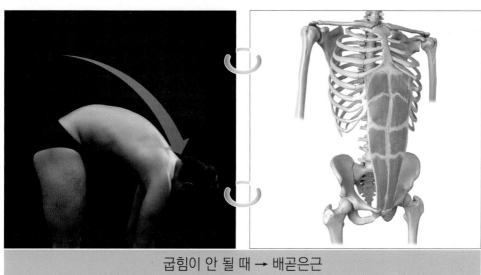

굽힘이 안 될 때 → 배곧은근

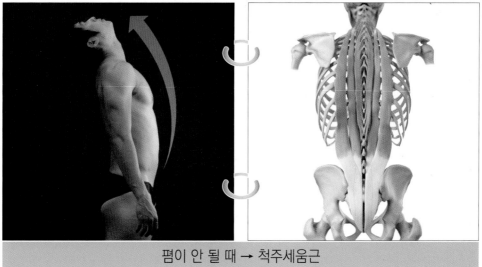

폄이 안 될 때 → 척주세움근

(2) 굽힘(굴곡, flexion)이 안 될 때

배곧은근(복직근, Rectus abdominis)

복부 앞면 양쪽에 있는 길고 큰 근육이다. 근육섬유는 수직으로 주행하고, 좌우는 백색선으로 나누어진다. 근육은 3개 이상의 나눔힘줄(건획)로 구분되어 있다.

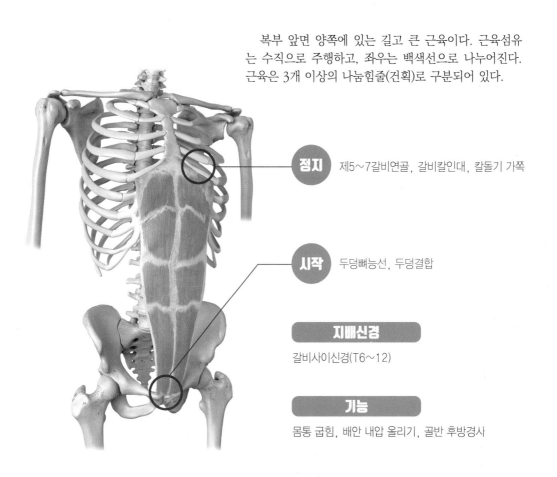

정지 제5~7갈비연골, 갈비칼인대, 칼돌기 가쪽

시작 두덩뼈능선, 두덩결합

지배신경
갈비사이신경(T6~12)

기능
몸통 굽힘, 배안 내압 올리기, 골반 후방경사

굽힘이 안 될 때
배곧은근 테이핑 기법

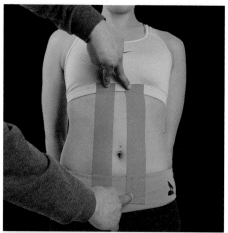

1. 두덩뼈(치골) 결절에 테이프를 고정하고, 배를 최대한 부풀리게 한 상태에서 제5갈비연골(늑연골)에 테이프를 부착한다.

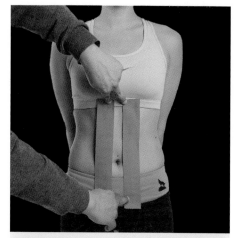

2. 누운 자세에서는 숨을 들이마시어 배를 최대한 팽창시킨 상태에서 동일한 부위에 테이핑을 시행한다.

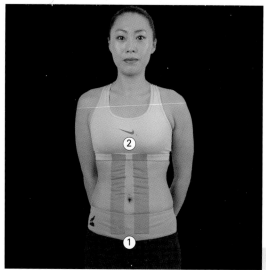

3. 완성 이미지(①두덩뼈 결절~②제5갈비연골)

(3) 폄(신전, extension)이 안 될 때

척주세움근(척추기립근, Erector spinae)

가쪽 약간 표면층을 세로로 주행하는 허리·등엉덩 갈비근(요·흉장륵근), 안쪽 약간 깊은층을 세로로 주행하는 등·목가장긴근(흉·경최장근), 가장 안쪽 깊은 층을 세로로 주행하는 등가시근(흉극근)의 3근육으로 이루어진다.

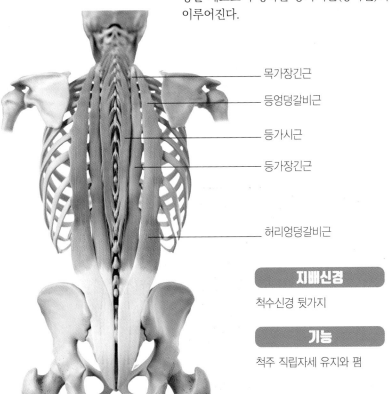

목가장긴근

등엉덩갈비근

등가시근

등가장긴근

허리엉덩갈비근

지배신경

척수신경 뒷가지

기능

척주 직립자세 유지와 폄

폄이 안 될 때
척주세움근 테이핑 기법

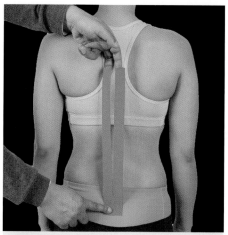

1. 테이프의 시작점을 제2엉치뼈(천골) 위에 고정한다.

2. 몸통을 앞으로 굽힌 자세에서 테이프의 ②번 끝점을 어깨뼈(견갑골) 아래까지 부착한다. 테이프의 ③번 끝점도 같은 방법으로 동일한 지점에 부착한다.

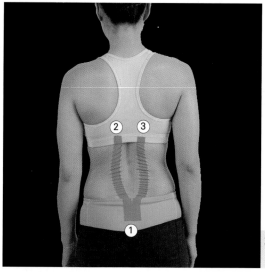

3. 완성 이미지(①제2엉치뼈~②왼쪽 어깨뼈 아래/③오른쪽 어깨뼈 아래)

Memo

2) 왼쪽/오른쪽가쪽굽힘이 안 될 때

(1) ROM Test

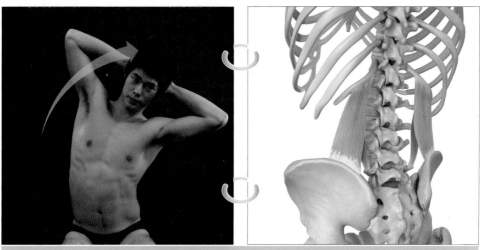

왼쪽가쪽굽힘이 안 될 때 → 왼쪽 허리네모근

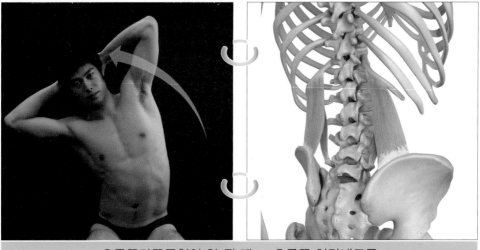

오른쪽가쪽굽힘이 안 될 때 → 오른쪽 허리네모근

(2) 왼쪽가쪽굽힘(좌측굴, left lateral flexion)이 안 될 때

허리네모근(요방형근, Quadratus lumborum)

엉덩뼈능선 뒤쪽에서 시작하여 12번 갈비뼈, 허리뼈 가로돌기에 정지하는 근육으로 몸통을 좌우로 구부리는 작용과 골반을 들어올리는 작용, 몸통을 펴는 역할을 수행하는 근육이다.

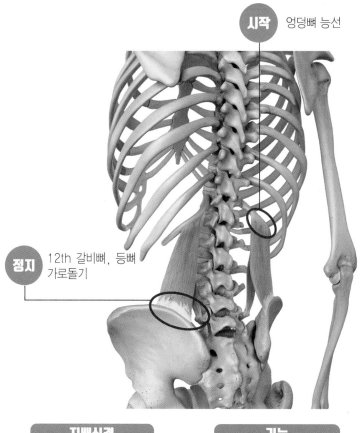

시작 엉덩뼈 능선

정지 12th 갈비뼈, 등뼈 가로돌기

지배신경	기능
T12, L1-L4	몸쪽 가쪽 굽힘

왼쪽가쪽굽힘이 안 될 때
왼쪽 허리네모근 테이핑 기법

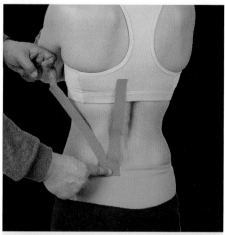

1. 테이프의 시작점을 왼쪽 엉덩뼈능선(장골능), 위뒤엉덩뼈가시(후상장골극) 가쪽 옆에 고정한다.

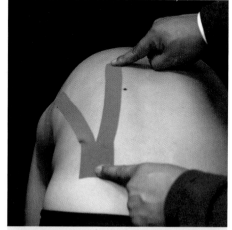

2. 몸통을 앞으로 굽힌 자세에서 테이프의 ②번 끝점을 제12등뼈(T12 흉추) 가로돌기(횡돌기)에 부착한다.

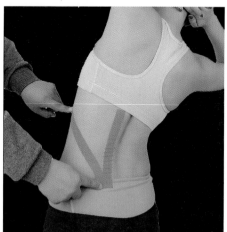

3. 몸통을 바로 하고, 다시 오른쪽으로 굽힌 자세에서 테이프의 ③번 끝점을 제12갈비뼈(늑골)에 부착한다.

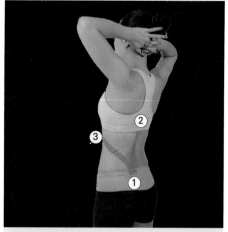

4. 완성 이미지(①위뒤엉덩뼈가시~②제12등뼈 가로돌기/③제12갈비뼈)

(3) 오른쪽가쪽굽힘(우측굴, right lateral flexion)이 안 될 때

허리네모근(요방형근, Quadratus lumborum)

엉덩뼈능선 뒤쪽에서 시작하여 12번 갈비뼈, 허리뼈 가로돌기에 정지하는 근육으로 몸통을 좌우로 구부리는 작용과 골반을 들어올리는 작용, 몸통을 펴는 역할을 수행하는 근육이다.

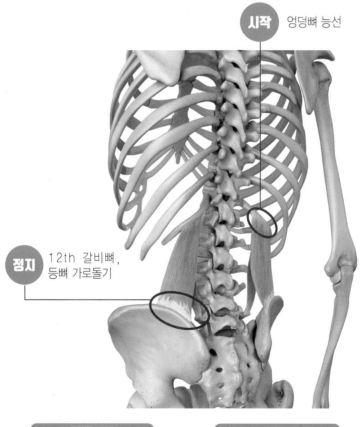

시작 엉덩뼈 능선

정지 12th 갈비뼈, 등뼈 가로돌기

지배신경	기능
T12, L1-L4	몸쪽 가쪽 굽힘

오른쪽가쪽굽힘이 안 될 때
오른쪽 허리네모근 테이핑 기법

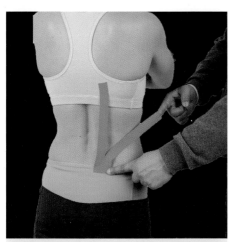

1. 테이프의 시작점을 오른쪽 엉덩뼈능선(장골
   능), 위뒤엉덩뼈가시(후상장골극) 가쪽 옆에
   고정한다.

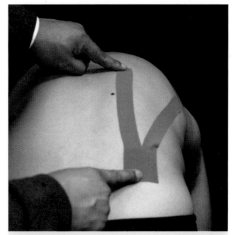

2. 몸통을 앞으로 굽힌 자세에서 테이프의 ②번
   끝점을 제12등뼈(T12 흉추) 가로돌기(횡돌기)
   에 부착한다.

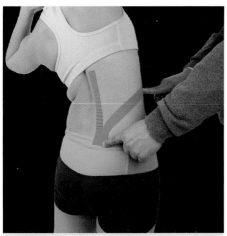

3. 몸통을 바로 하고, 다시 왼쪽으로 굽힌 자세에
   서 테이프의 ③번 끝점을 제12갈비뼈(늑골)에
   부착한다.

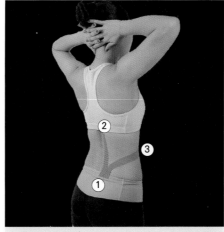

4. 완성 이미지(①위뒤엉덩뼈가시~②제12등뼈
   가로돌기/③제12갈비뼈)

Memo

3) 왼쪽/오른쪽돌림이 안 될 때

(1) ROM Test

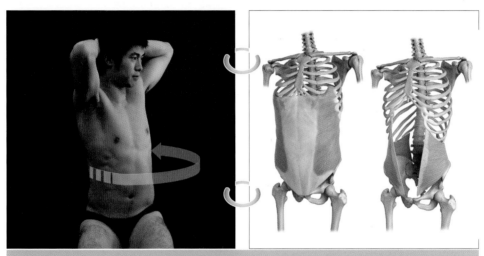

왼쪽돌림이 안 될 때 → 오른쪽 배바깥빗근, 왼쪽 배속빗근

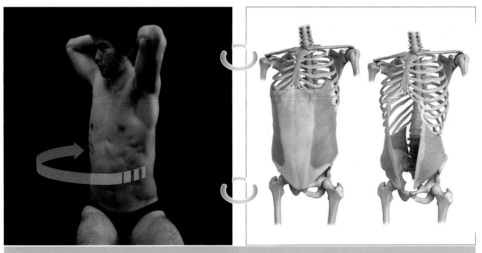

오른쪽돌림이 안 될 때 → 왼쪽 배바깥빗근, 오른쪽 배속빗근

(2) 왼쪽돌림(좌회전, left rotation)이 안 될 때

1 ### 배바깥빗근(외복사근, External oblique)

복부의 가장 표면에서 복벽의 앞과 가로를 둘러싸고 있는 편평하고 얇은 근육이다. 근육섬유는 복벽에 있지만, 건막은 배곧은근(복직근) 앞벽을 횡단하여 백색선을 만든다.

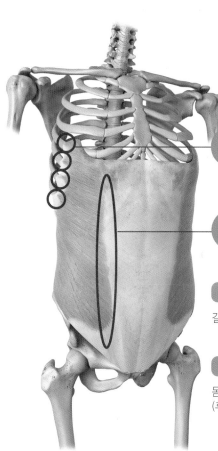

시작 제5~12갈비뼈 가쪽과 아래쪽모서리

정지 엉덩뼈능선 가쪽입술의 앞쪽 1/2, 샅인대, 배곧은근집 앞엽

지배신경

갈비사이신경(T6~12), 엉덩아랫배신경과 엉덩샅신경

기능

몸통 굽힘 · 가쪽 굽힘 · 반대쪽으로 휘돌림, 골반 뒤쪽기울임(후방경사) · 가쪽기울임(측방경사)

왼쪽돌림이 안 될 때 1
오른쪽 배바깥빗근 테이핑 기법

1. 양손을 위로 한 자세에서 테이프의 시작점을 오른쪽 두덩뼈 결절(치골결절)에 고정한다.

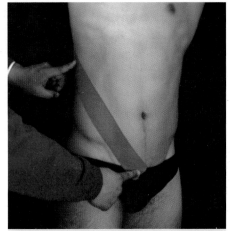

2. 몸통을 오른쪽으로 돌린 자세에서 테이프의 끝점을 오른쪽 제10갈비뼈(늑골) 가쪽에 부착한다.

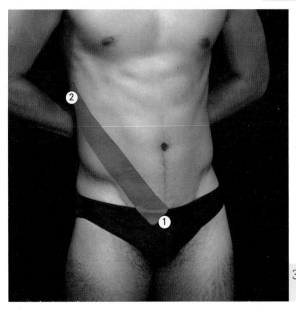

3. 완성 이미지(①두덩뼈 결절~②제10갈비뼈 가쪽)

② 배속빗근(내복사근, Internal oblique)

복벽의 옆과 앞에서는 배바깥빗근(외복사근) 아래쪽에 있으며, 배바깥빗근보다 작고 얇다. 근육 섬유는 배바깥빗근과는 반대로 교차하여 주행한다.

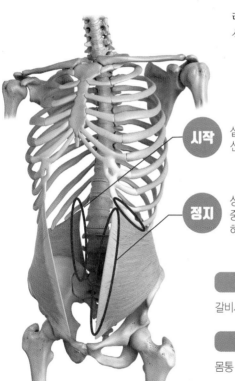

시작 샅인대 가쪽 1/2, 엉덩뼈사이막, 엉덩뼈능선 중간선 앞쪽 2/3, 등허리근막 깊은부위

정지 상부 : 제10~12 갈비연골 아래쪽모서리
중부 : 배바깥빗근과 배가로근의 건막
하부 : 배가로근의 얇은건막

지배신경

갈비사이신경(C6~12), 엉덩아랫배신경과 엉덩샅신경의 가지

기능

몸통 굽힘 · 가쪽 굽힘 · 같은 쪽으로 휘돌림, 골반 가쪽기울임

왼쪽돌림이 안 될 때 2
왼쪽 배속빗근 테이핑 기법

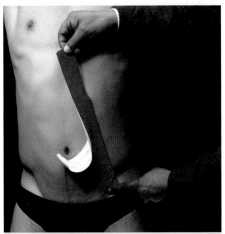

1. 양손을 위로 한 자세에서 테이프의 시작점을 왼쪽 위앞엉덩뼈가시(전상장골극)에 고정한다.

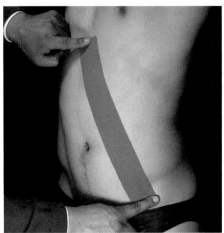

2. 몸통을 오른쪽으로 돌린 자세에서 테이프의 끝 점을 칼돌기(검상돌기) 방향으로 부착한다.

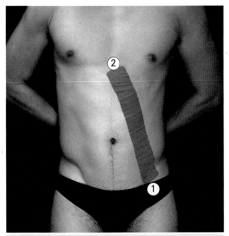

3. 완성 이미지(①위앞엉덩뼈가시~②칼돌기)

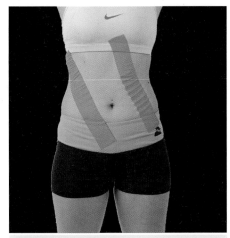

4. 전체 완성 이미지

(3) 오른쪽돌림(우회전, right rotation)이 안 될 때

1 **배바깥빗근**(외복사근, External oblique)

복부의 가장 표면에서 복벽의 앞과 가로를 둘러싸고 있는 편평하고 얇은 근육이다. 근육섬유는 복벽에 있지만, 건막은 배곧은근(복직근) 앞벽을 횡단하여 백색선을 만든다.

시작 제5~12갈비뼈 가쪽과 아래쪽모서리

정지 엉덩뼈능선 가쪽입술의 앞쪽 1/2, 샅인대, 배곧은근집 앞엽

지배신경

갈비사이신경(T6~12), 엉덩아랫배신경과 엉덩샅신경

기능

몸통 굽힘 · 가쪽 굽힘 · 반대쪽으로 휘돌림, 골반 뒤쪽기울임(후방경사) · 가쪽기울임(측방경사)

오른쪽돌림이 안 될 때 1
왼쪽 배바깥빗근 테이핑 기법

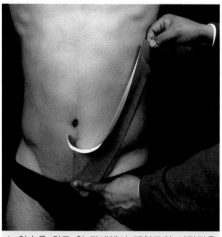

1. 양손을 위로 한 자세에서 테이프의 시작점을 왼쪽 두덩뼈 결절(치골결절)에 고정한다.

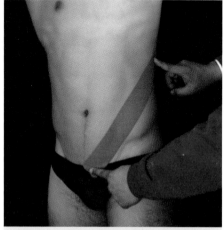

2. 몸통을 왼쪽으로 돌린 자세에서 테이프의 끝점을 왼쪽 제10갈비뼈(늑골) 가쪽에 부착한다.

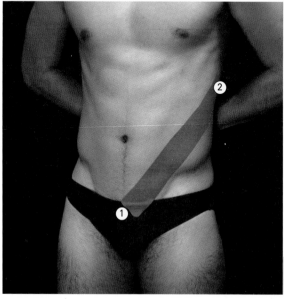

3. 완성 이미지(①두덩뼈 결절~②제10갈비뼈 가쪽)

② 배속빗근(내복사근, Internal oblique)

복벽의 옆과 앞에서는 배바깥빗근(외복사근) 아래쪽에 있으며, 배바깥빗근보다 작고 얇다. 근육섬유는 배바깥빗근과는 반대로 교차하여 주행한다.

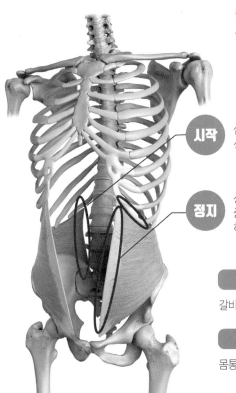

시작 샅인대 가쪽 1/2, 엉덩뼈사이막, 엉덩뼈능선 중간선 앞쪽 2/3, 등허리근막 깊은부위

정지 상부 : 제10~12 갈비연골 아래쪽모서리
중부 : 배바깥빗근과 배가로근의 건막
하부 : 배가로근의 얇은건막

지배신경

갈비사이신경(C6~12), 엉덩아랫배신경과 엉덩샅신경의 가지

기능

몸통 굽힘 · 가쪽 굽힘 · 같은 쪽으로 휘돌림, 골반 가쪽기울임

오른쪽돌림이 안 될 때 2
오른쪽 배속빗근 테이핑 기법

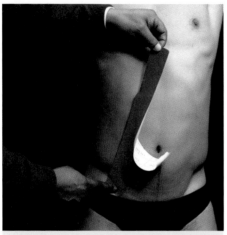

1. 양손을 위로 한 자세에서 테이프의 시작점을 오른쪽 위앞엉덩뼈가시(전상장골극)에 고정한다.

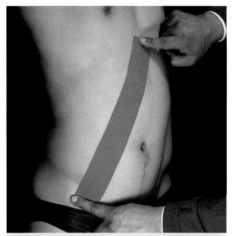

2. 몸통을 왼쪽으로 돌린 자세에서 테이프의 끝점을 칼돌기(검상돌기) 방향으로 부착한다.

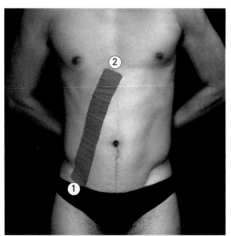

3. 완성 이미지(①위앞엉덩뼈가시~②칼돌기)

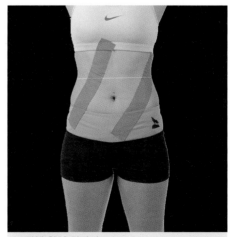

4. 전체 완성 이미지

Memo

제2장 하체 테이핑

5관절 20근육

엉덩관절(6 ROM, 8 Muscles)	
①굽힘이 안 될 때	큰허리근
②폄이 안 될 때	큰볼기근
③모음이 안 될 때	큰모음근
④벌림이 안 될 때	중간볼기근/넙다리근막긴장근
⑤안쪽돌림이 안 될 때	두덩근/넙다리근막긴장근
⑥가쪽돌림이 안 될 때	궁둥구멍근/넙다리빗근

무릎관절(2 ROM, 2Muscles)	
①굽힘이 안 될 때	뒤넙다리근
②폄이 안 될 때	넙다리네갈래근

발목관절(4 ROM, 6 Muscles)	
①발등굽힘이 안 될 때	앞정강근
②발바닥굽힘이 안 될 때	장딴지근/가자미근
③안쪽번짐이 안 될 때	앞정강근/뒤정강근
④가쪽번짐이 안 될 때	긴종아리근/짧은종아리근

발가락관절(2 ROM, 2 Muscles)	
①굽힘이 안 될 때	긴발가락굽힘근
②폄이 안 될 때	긴발가락폄근

엄지발가락관절(2 ROM, 2 Muscles)	
①굽힘이 안 될 때	긴엄지발가락굽힘근
②폄이 안 될 때	긴엄지발가락폄근

1. 엉덩관절

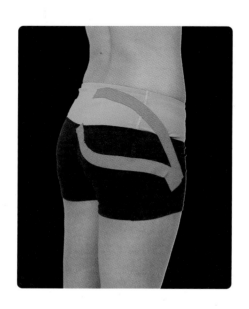

6 ROM, 8 Muscles	
ROM	작용근육
굽힘(굴곡)	큰허리근(대요근)
폄(신전)	큰볼기근(대둔근)
모음(내전)	큰모음근(대내전근)
벌림(외전)	중간볼기근(중둔근)/넙다리근막긴장근(대퇴근막장근)
안쪽돌림(내회전)	두덩근(치골근)/넙다리근막긴장근(대퇴근막장근)
가쪽돌림(외회전)	궁둥구멍근(이상근)/넙다리빗근(봉공근)
궁둥구멍근, 넙다리근막긴장근, 넙다리빗근, 두덩근, 중간볼기근, 큰모음근, 큰볼기근, 큰허리근	

Memo

1) 굽힘과 폄이 안 될 때

(1) ROM Test

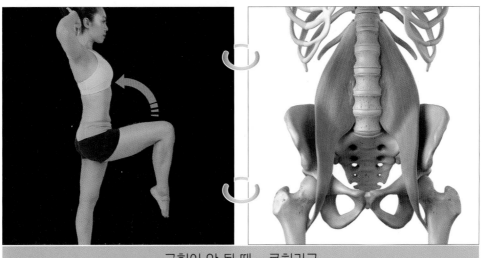

굽힘이 안 될 때 – 큰허리근

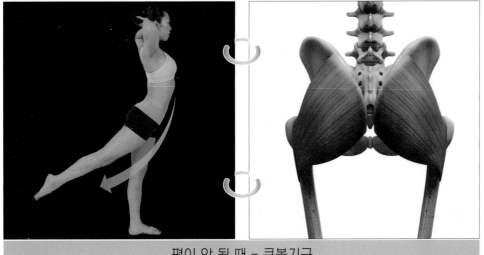

폄이 안 될 때 – 큰볼기근

(2) 굽힘(굴곡, flexion)이 안 될 때

큰허리근(대요근, Psoas major)

허리뼈에 인접하는 긴 근육으로 근육섬유는 아래쪽에서 가쪽으로 주행한다.
근육 크기는 골반 모서리를 따라 하강하면서 작아진다.

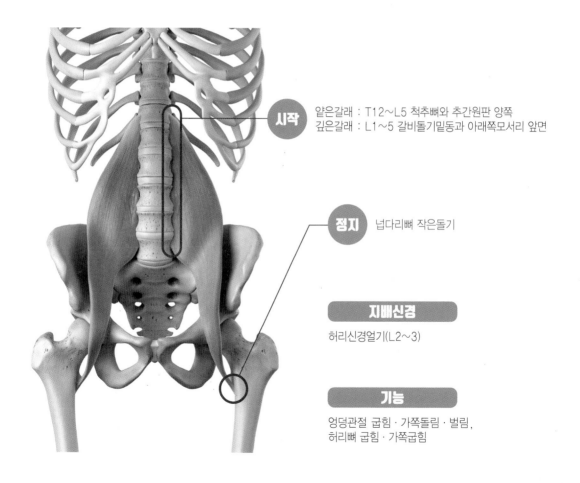

시작 얕은갈래 : T12~L5 척추뼈와 추간원판 양쪽
깊은갈래 : L1~5 갈비돌기밑동과 아래쪽모서리 앞면

정지 넙다리뼈 작은돌기

지배신경

허리신경얼기(L2~3)

기능

엉덩관절 굽힘 · 가쪽돌림 · 벌림,
허리뼈 굽힘 · 가쪽굽힘

굽힘이 안 될 때
큰허리근 테이핑 기법

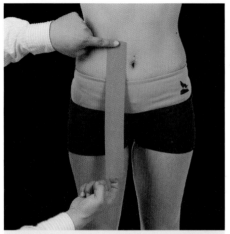

1. 테이프의 시작점을 배꼽 가쪽 위에 고정한다.

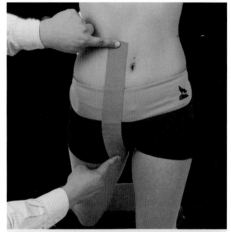

2. 다리를 벌리고 최대한 뒤로 젖힌 자세에서 테이프의 끝점을 작은돌기(소전자) 방향으로 부착한다.

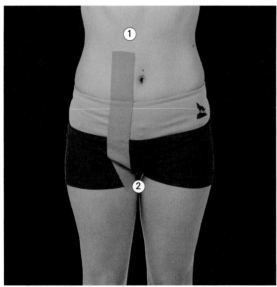

3. 완성 이미지(①배꼽 가쪽 위~②작은돌기)

(3) 폄(신전, extension)이 안 될 때

큰볼기근(대둔근, Gluteus maximus)

둔부의 융기를 만드는 볼기근 중에서 가장 크다. 가장 깊은 부위는 거의 사각형의 넓고 두꺼운 모양을 하고 있다.

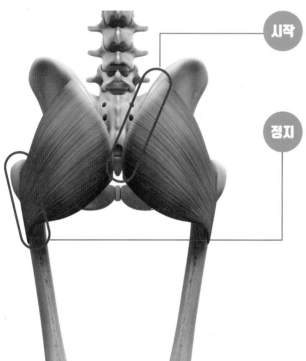

시작
표층 :엉덩뼈능선, 위뒤엉덩뼈가시, 엉치뼈 아래 뒷면, 꼬리뼈 옆
심층 :엉덩뼈 뒤 볼기근선, 엉치결절인대, 중간볼기근을 포함한 볼기근널힘줄

정지
상부와 하부 표층 : 엉덩정강근막띠
하부 심층 : 넙다리뼈 볼기근 거친면

지배신경

아래볼기신경(L5~S2)

기능

엉덩절 폄 · 가쪽돌림 · 벌림 · 모음

폄이 안 될 때
큰볼기근 테이핑 기법

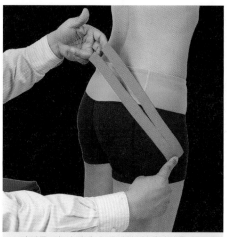

1. 다리를 편 자세에서 테이프의 시작점을 큰돌기 (대전자)에 고정한다.

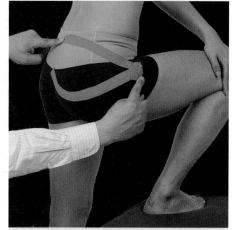

2. 테이프의 ②번 끝점을 엉덩뼈능선(장골능)에 부착한다. 엉덩이와 무릎관절을 굽히고 안쪽으로 돌린 자세에서 테이프의 ③번 끝점을 큰볼기근을 둘러싸면서 엉치뼈(천골) 방향으로 부착한다.

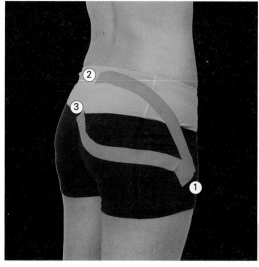

3. 완성 이미지(①큰돌기~②엉덩뼈능선/③ 엉치뼈)

2) 모음과 벌림이 안 될 때

(1) ROM Test

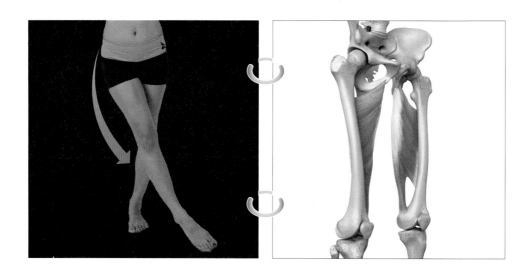

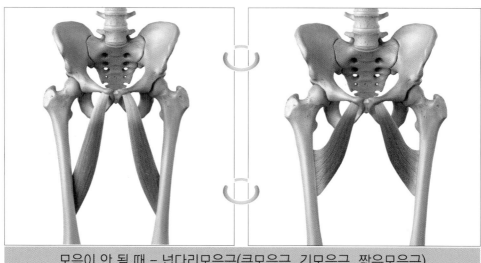

모음이 안 될 때 - 넙다리모음근(큰모음근, 긴모음근, 짧은모음근)

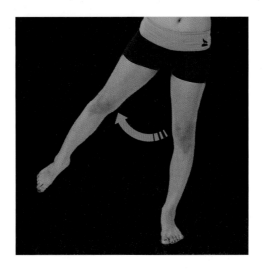

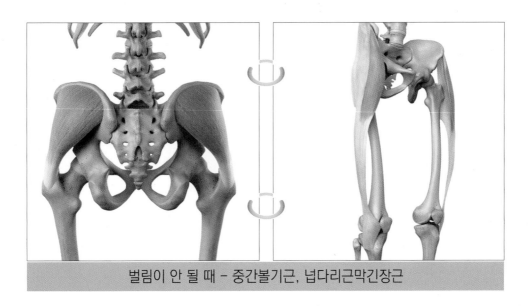

벌림이 안 될 때 – 중간볼기근, 넙다리근막긴장근

(2) 모음(내전, adduction)이 안 될 때

큰모음근(대내전근, Adductor magnus)

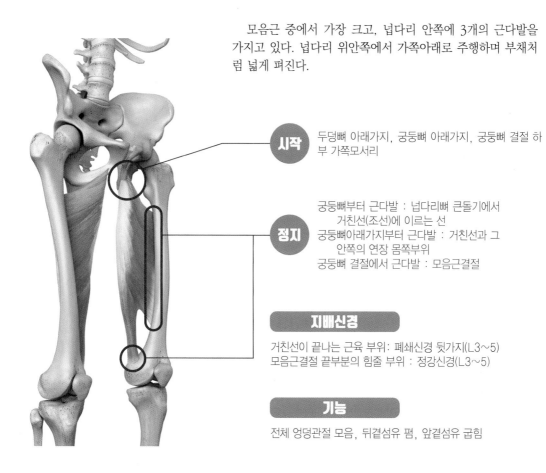

모음근 중에서 가장 크고, 넙다리 안쪽에 3개의 근다발을 가지고 있다. 넙다리 위안쪽에서 가쪽아래로 주행하며 부채처럼 넓게 퍼진다.

시작 두덩뼈 아래가지, 궁둥뼈 아래가지, 궁둥뼈 결절 하부 가쪽모서리

정지 궁둥뼈부터 근다발 : 넙다리뼈 큰돌기에서 거친선(조선)에 이르는 선
궁둥뼈아래가지부터 근다발 : 거친선과 그 안쪽의 연장 몸쪽부위
궁둥뼈 결절에서 근다발 : 모음근결절

지배신경

거친선이 끝나는 근육 부위: 폐쇄신경 뒷가지(L3~5)
모음근결절 끝부분의 힘줄 부위 : 정강신경(L3~5)

기능

전체 엉덩관절 모음, 뒤곁섬유 폄, 앞곁섬유 굽힘

모음이 안 될 때
큰모음근 테이핑 기법

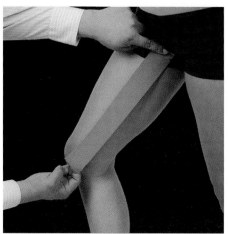

1. 엉덩이와 무릎을 굽히고 벌려서 가쪽으로 돌린 (외회전) 자세에서 테이프의 시작점을 넙다리 (대퇴) 시작부위 중앙에 고정한다.

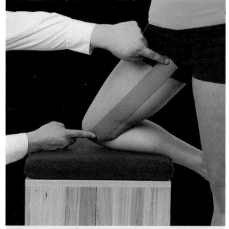

2. 무릎을 최대한 굽힌 자세에서 테이프의 끝점을 넙다리 안쪽융기(대퇴골 내측과)의 모음근(내 전근) 결절에 부착한다.

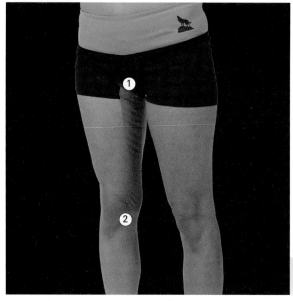

3. 완성 이미지(①넙다리 시작부위 중앙~ ②넙다리 안쪽융기)

(3) 벌림(외전, abduction)이 안 될 때

1 **중간볼기근**(중둔근, Gluteus medius)

골반 가쪽 위에 있는 삼각형의 근육으로, 아래쪽 대부분은 큰볼기근이 덮고 있다. 앞쪽 2/3는 중간볼기근막이 덮고 있다.

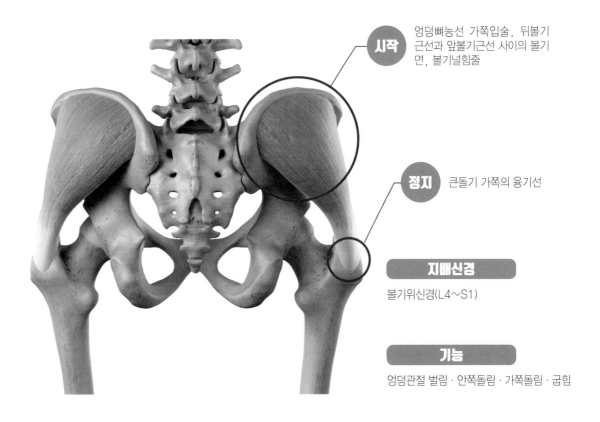

시작 엉덩뼈능선 가쪽입술, 뒤볼기근선과 앞볼기근선 사이의 볼기면, 볼기널힘줄

정지 큰돌기 가쪽의 융기선

지배신경

볼기위신경(L4~S1)

기능

엉덩관절 벌림 · 안쪽돌림 · 가쪽돌림 · 굽힘

벌림이 안 될 때 1
중간볼기근 테이핑 기법

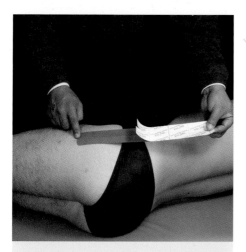

1. 다리를 편 자세에서 테이프의 시작점을 큰돌기(대전자)에 고정한다.

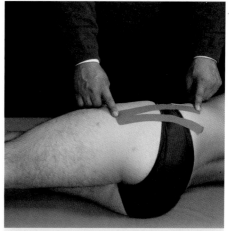

2. 테이프의 ②번 끝점을 중간볼기근 앞쪽모서리(중둔근 전방연)를 따라 엉덩뼈 앞쪽(장골능 위쪽)에 부착한다.

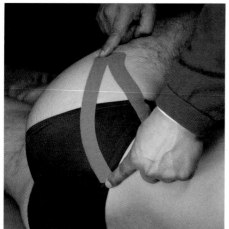

3. 무릎과 엉덩관절을 굽혀 다리를 최대한 몸통에 붙인 자세에서 테이프의 ③번 끝점을 위뒤엉덩뼈가시(후상장골극, PSIS) 방향으로 부착한다.

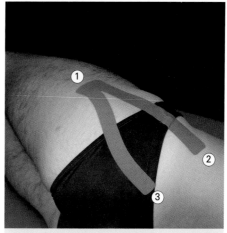

4. 완성 이미지(①큰돌기~②엉덩뼈 앞쪽/③위뒤엉덩뼈가시 방향)

② 넙다리근막긴장근(대퇴근막장근, Tensor fasciae latae)

위앞엉덩뼈가시 가쪽에서 시작하여 중간볼기근 앞쪽을 지나가며 넙다리근막을 펴는 편평하고 긴 근육이다. 넙다리 아래쪽 2/3에서 엉덩정강근막띠(장경인대)가 된다.

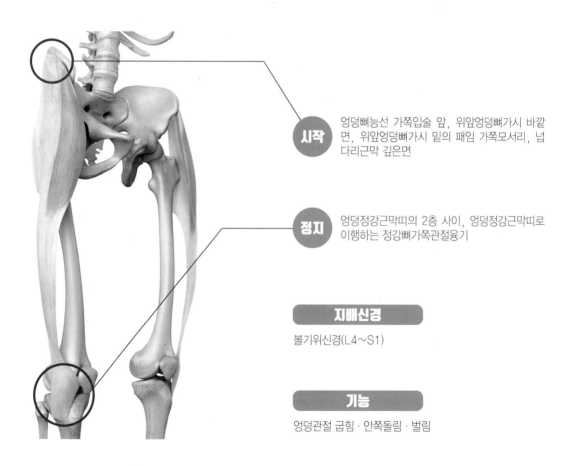

시작 엉덩뼈능선 가쪽입술 앞, 위앞엉덩뼈가시 바깥면, 위앞엉덩뼈가시 밑의 패임 가쪽모서리, 넙다리근막 깊은면

정지 엉덩정강근막띠의 2층 사이, 엉덩정강근막띠로 이행하는 정강뼈가쪽관절융기

지배신경

볼기위신경(L4~S1)

기능

엉덩관절 굽힘 · 안쪽돌림 · 벌림

벌림이 안 될 때 2
넙다리근막긴장근 테이핑 기법

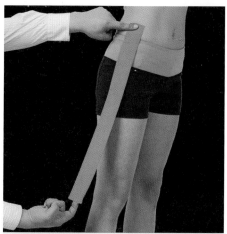

1. 테이프의 시작점을 앞쪽 엉덩뼈능선(장골능)에 고정한다.

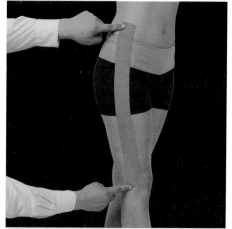

2. 엉덩이를 펴서 안쪽으로 돌린 자세에서(부착방향 무릎이 최대한 반대편 무릎 앞쪽에 위치하도록) 테이프의 끝점을 정강뼈 가쪽융기(경골 외측과)에 부착한다.

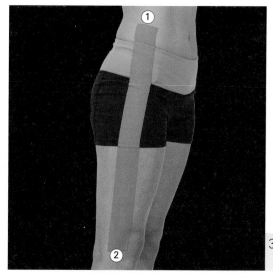

3. 완성 이미지(①엉덩뼈능선~②정강뼈 가쪽융기)

3) 안쪽/가쪽돌림이 안 될 때

(1) ROM Test

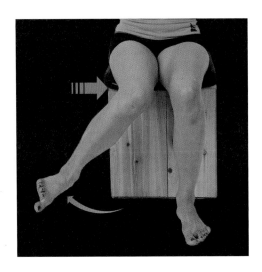

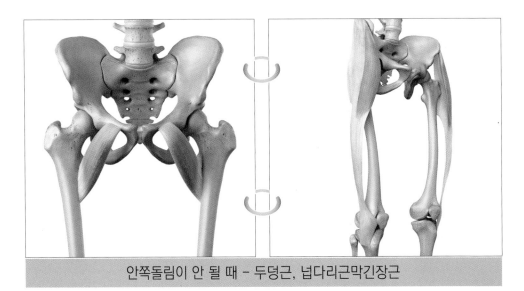

안쪽돌림이 안 될 때 – 두덩근, 넙다리근막긴장근

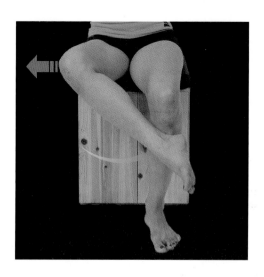

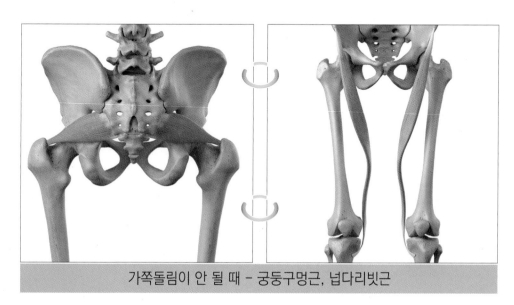

가쪽돌림이 안 될 때 – 궁둥구멍근, 넙다리빗근

(2) 안쪽돌림(내회전, internal rotation)이 안 될 때

1 두덩근(치골근, Pectineus)

두덩뼈 윗가지에서 뒤가쪽으로 가서 넙다리뼈 뒷면에서 정지한다. 모음근이지만 안쪽돌림 보조근으로서도 기능한다.

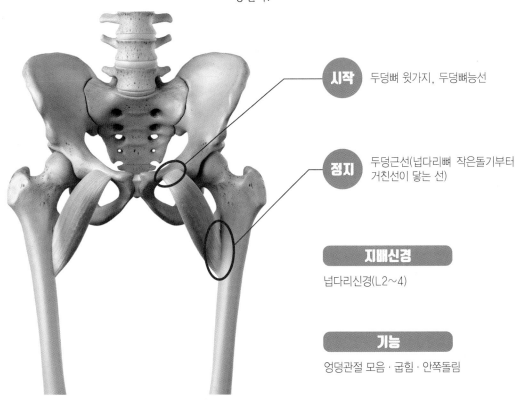

시작 두덩뼈 윗가지, 두덩뼈능선

정지 두덩근선(넙다리뼈 작은돌기부터 거친선이 닿는 선)

지배신경
넙다리신경(L2~4)

기능
엉덩관절 모음 · 굽힘 · 안쪽돌림

안쪽돌림이 안 될 때 1
두덩근 테이핑 기법

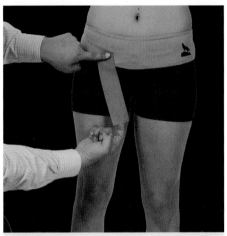

1. 테이프의 시작점을 두덩뼈(치골) 앞쪽에 고정한다.

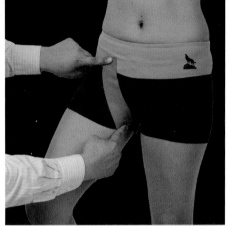

2. 엉덩관절을 굽히고 바깥으로 돌린 자세에서(양다리가 최대한 벌어지도록) 테이프의 끝점을 넙다리 안쪽면(대퇴 근위 후방 내측면)에 부착한다.

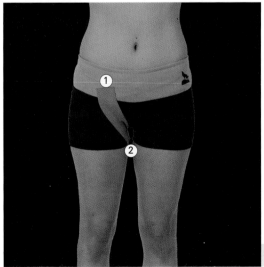

3. 완성 이미지(①두덩뼈 앞쪽~②넙다리 안쪽면)

② 넙다리근막긴장근(대퇴근막장근, Tensor fasciae latae)

위앞엉덩뼈가시 가쪽에서 시작하여 중간볼기근 앞쪽을 지나가며
넙다리근막을 펴는 편평하고 긴 근육이다. 넙다리 아래쪽 2/3에서
엉덩정강근막띠(장경인대)가 된다.

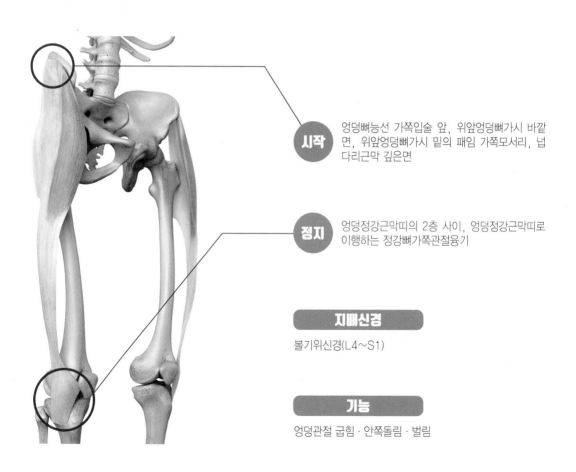

시작　엉덩뼈능선 가쪽입술 앞, 위앞엉덩뼈가시 바깥면, 위앞엉덩뼈가시 밑의 패임 가쪽모서리, 넙다리근막 깊은면

정지　엉덩정강근막띠의 2층 사이, 엉덩정강근막띠로 이행하는 정강뼈가쪽관절융기

지배신경

볼기위신경(L4~S1)

기능

엉덩관절 굽힘 · 안쪽돌림 · 벌림

안쪽돌림이 안 될 때 2
넙다리근막긴장근 테이핑 기법

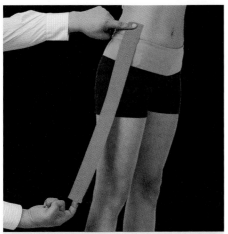

1. 테이프의 시작점을 앞쪽 엉덩뼈능선(장골능)에 고정한다.

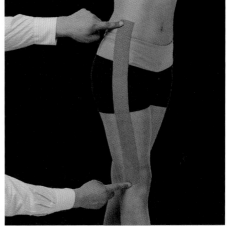

2. 엉덩이를 펴서 안쪽으로 돌린 자세에서(부착방향 무릎이 최대한 반대편 무릎 앞쪽에 위치하도록) 테이프의 끝점을 정강뼈 가쪽융기(경골외측과)에 부착한다.

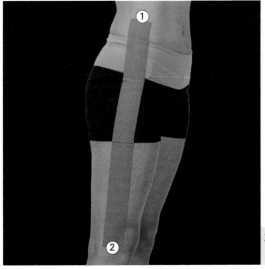

3. 완성 이미지(①엉덩뼈능선~②정강뼈 가쪽융기)

(3) 가쪽돌림(외회전, external rotation)이 안 될 때

1 궁둥구멍근(이상근, Piriformis)

큰볼기근 깊은 부위에 있는 근육으로, 엉치뼈 앞면의 제1~4 앞엉치뼈구멍 가쪽면에서 큰돌기 위쪽모서리를 향한다. 엉덩관절 뒤쪽에서 중간볼기근 뒤쪽 모서리와 평행으로 주행한다.

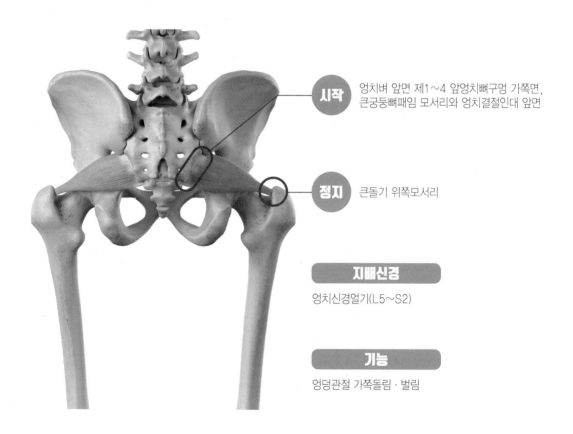

시작 엉치뼈 앞면 제1~4 앞엉치뼈구멍 가쪽면, 큰궁둥뼈패임 모서리와 엉치결절인대 앞면

정지 큰돌기 위쪽모서리

지배신경

엉치신경얼기(L5~S2)

기능

엉덩관절 가쪽돌림 · 벌림

가쪽돌림이 안 될 때 1
궁둥구멍근 테이핑 기법

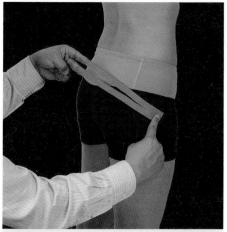

1. 테이프의 시작점을 큰돌기(대전자) 위쪽에 고정한다.

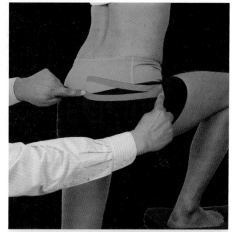

2. 엉덩관절과 무릎을 최대한 굽힌 자세에서 테이프의 양 끝점을 위뒤엉덩뼈가시(후상장골극, PSIS)와 엉치뼈(천골) 방향으로 부착한다.

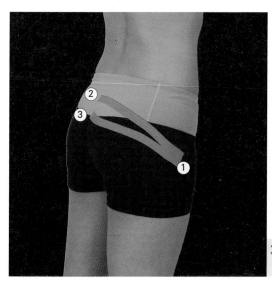

3. 완성 이미지(①큰돌기~②위뒤엉덩뼈가시/③엉치뼈 방향)

② 넙다리빗근(봉공근, Sartorius)

인체에서 가장 긴 근육이다. 넙다리 가쪽에서 안쪽으로 하행하며, 무릎 위에서
넙다리뼈 안쪽과 뒤쪽으로 가서 넓은 근막이 되어 정강뼈 안쪽에서 정지한다.

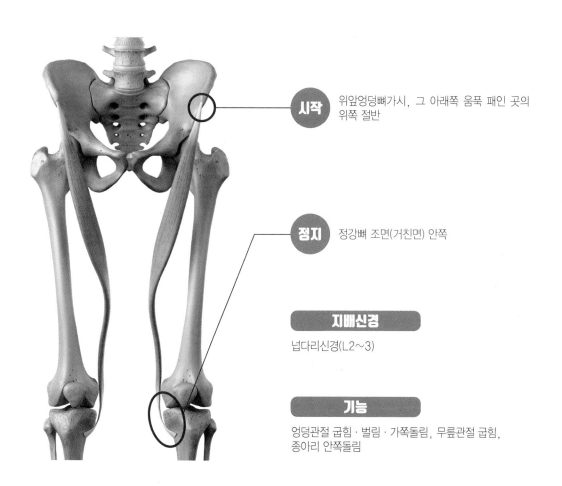

시작 위앞엉덩뼈가시, 그 아래쪽 움푹 패인 곳의
위쪽 절반

정지 정강뼈 조면(거친면) 안쪽

지배신경

넙다리신경(L2~3)

기능

엉덩관절 굽힘·벌림·가쪽돌림, 무릎관절 굽힘,
종아리 안쪽돌림

가쪽돌림이 안 될 때 2
넙다리빗근 테이핑 기법

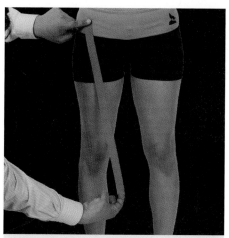

1. 테이프의 시작점을 위앞엉덩뼈가시(전상장골극, ASIS)에 고정한다.

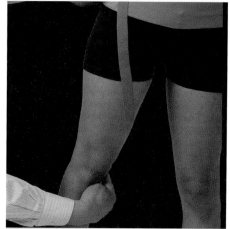

2. 엉덩이를 펴고 양다리를 최대한 벌리고 안쪽으로 돌린 자세에서 테이프의 끝점을 넙다리(대퇴) 뒤쪽 방향으로 해서 정강뼈 거친면 안쪽에 부착한다.

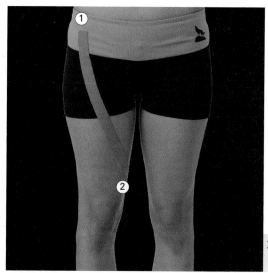

3. 완성 이미지(①위앞엉덩뼈가시~②정강뼈 거친면 안쪽)

엉덩관절 테이핑 비교

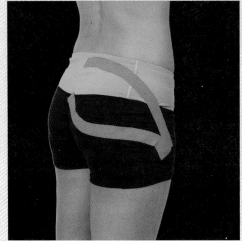

큰볼기근 테이핑

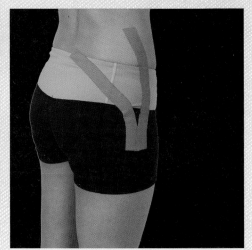

중간볼기근 테이핑

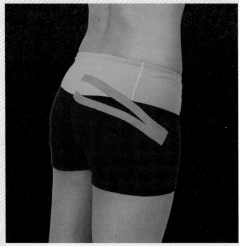

궁둥구멍근 테이핑

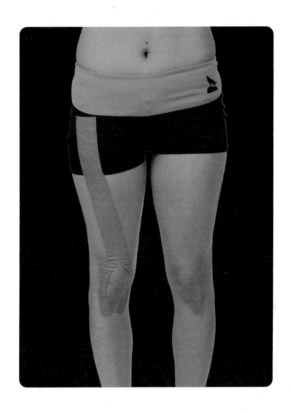

2 ROM, 2 Muscles	
ROM	작용근육
굽힘(굴곡)	뒤넙다리근(슬괵근)
폄(신전)	넙다리네갈래근(대퇴사두근)
넙다리네갈래근, 뒤넙다리근	

1) 굽힘과 폄이 안 될 때

(1) ROM Test

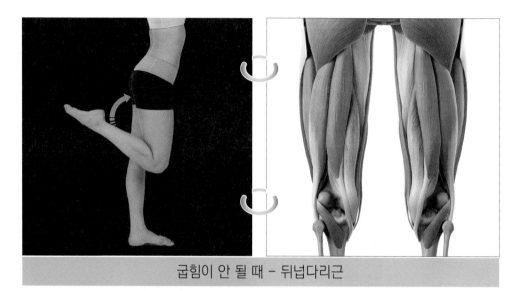

굽힘이 안 될 때 - 뒤넙다리근

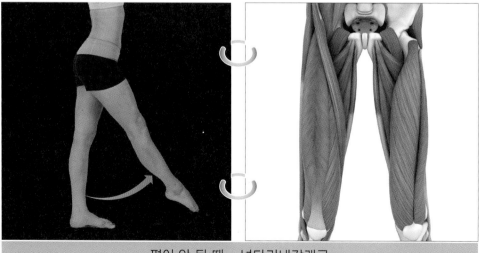

폄이 안 될 때 - 넙다리네갈래근

(2) 굽힘(굴곡, flexion)이 안 될 때

뒤넙다리근(슬괵근, Hamstrings)

1 / **넙다리두갈래근 긴갈래**(대퇴이두근 장두, Biceps femoris long head)

넙다리 뒷면 가쪽을 차지하는 2갈래로 된 근육으로, 궁둥뼈 결절에서 시작하여 종아리 가쪽에서 정지하는 2관절근이다.

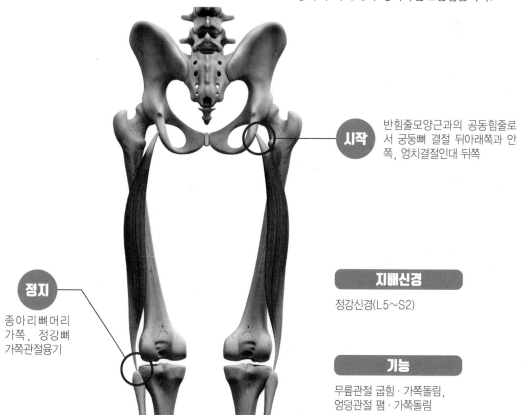

시작
반힘줄모양근과의 공동힘줄로서 궁둥뼈 결절 뒤아래쪽과 안쪽, 엉치결절인대 뒤쪽

정지
종아리뼈머리 가쪽, 정강뼈 가쪽관절융기

지배신경
정강신경(L5~S2)

기능
무릎관절 굽힘 · 가쪽돌림, 엉덩관절 폄 · 가쪽돌림

2 넙다리두갈래근 짧은갈래(대퇴이두근 단두, Biceps femoris short head)

넙다리 뒷면 가쪽을 차지하고 있는 2갈래로 된 근육으로, 넙다리뼈 가쪽입술 아래쪽 1/2에서 시작된다. 긴갈래와 합쳐져서 공동힘줄이 되어 오금 가쪽으로 나아간다.

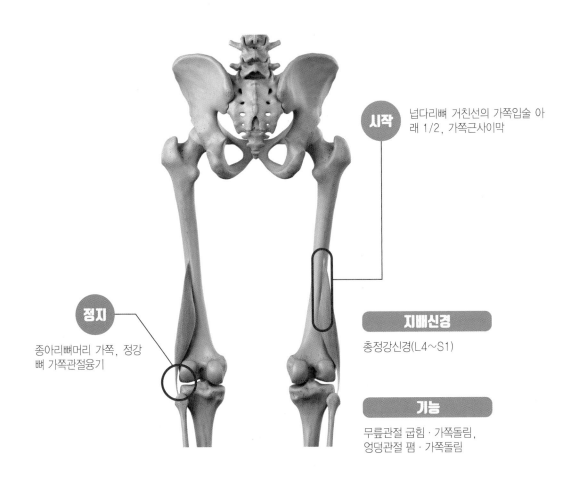

시작 넙다리뼈 거친선의 가쪽입술 아래 1/2, 가쪽근사이막

정지 종아리뼈머리 가쪽, 정강뼈 가쪽관절융기

지배신경

총정강신경(L4~S1)

기능

무릎관절 굽힘 · 가쪽돌림,
엉덩관절 폄 · 가쪽돌림

굽힘이 안 될 때
뒤넙다리근 테이핑 기법

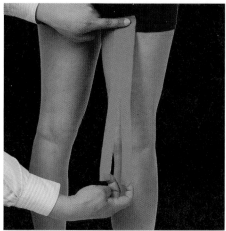

1. 테이프의 시작점을 궁둥뼈 결절(좌골결절)에 고정한다.

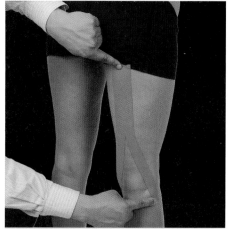

2. 허리를 숙인 자세에서 테이프의 ②번 끝점을 오금 안쪽의 인대 방향으로 부착한다. 테이프의 ③번 끝점은 오금 바깥쪽의 인대 방향으로 부착한다.

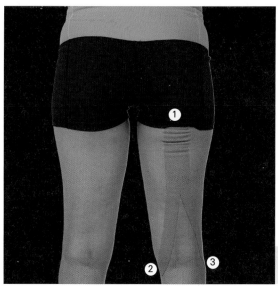

3. 완성 이미지(①궁둥뼈 결절~②오금 안쪽 인대 방향/③오금 바깥쪽 인대 방향)

3 반막모양근(반막양근, Semimembranosus)

반힘줄모양근을 덮으며, 위쪽 반은 넓은 건막이고, 중앙에서 근복이 되어 아래 안쪽으로 주행한다. 정지점도 반힘줄모양근을 덮으며, 깊은 아족을 만든다.

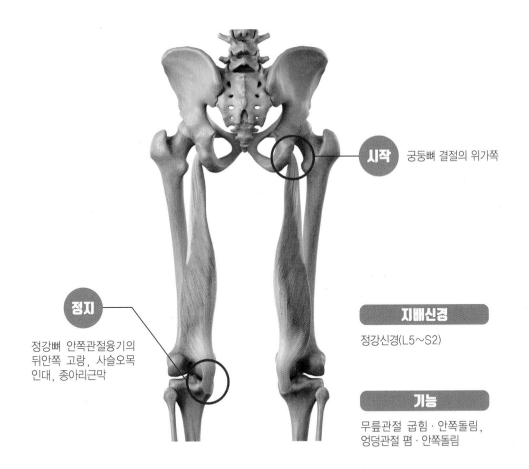

시작 궁둥뼈 결절의 위가쪽

정지
정강뼈 안쪽관절융기의 뒤안쪽 고랑, 사슬오목 인대, 종아리근막

지배신경

정강신경(L5~S2)

기능

무릎관절 굽힘 · 안쪽돌림, 엉덩관절 폄 · 안쪽돌림

4 반힘줄모양근(반건양근, Semitendinosus)

궁둥뼈 결절의 넙다리두갈래근 긴갈래 안쪽에서 시작되는 가늘고 긴 근
육으로, 그 아래쪽 반은 가는 힘줄이 되어 오금 안쪽을 향한다. 넙다리빗근
(봉공근)·두덩정강근(박근)의 힘줄과 합쳐져서 아족을 만든다.

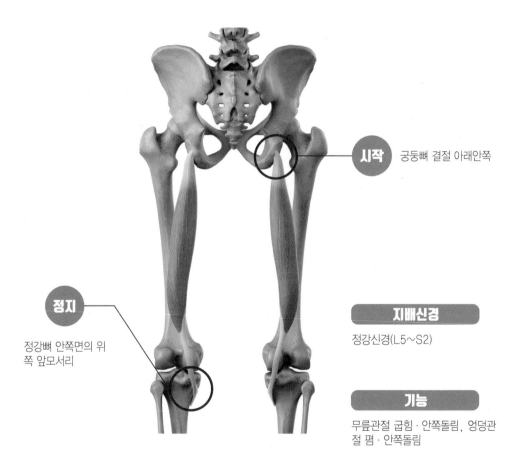

시작 궁둥뼈 결절 아래안쪽

정지

정강뼈 안쪽면의 위
쪽 앞모서리

지배신경

정강신경(L5~S2)

기능

무릎관절 굽힘 · 안쪽돌림, 엉덩관
절 폄 · 안쪽돌림

(3) 폄(신전, extension)이 안 될 때

넙다리네갈래근(대퇴사두근, Quadriceps femoris)

1 | **넙다리곧은근**(대퇴직근, Rectus femoris)

넙다리네갈래근은 가장 앞쪽에서 2개의 갈래로 나누어진다. 아래앞엉덩뼈가시(하전장골극)과 볼기뼈절구(관골구) 위쪽모서리에서 시작되며, 합쳐져서 방추모양의 근복이 되어 무릎뼈 위쪽모서리를 향한다.

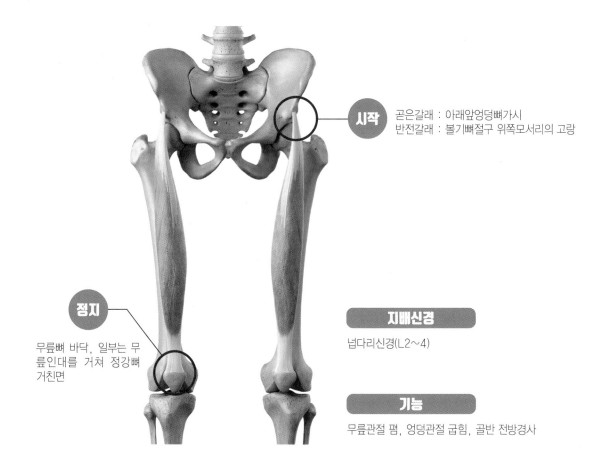

시작
곧은갈래 : 아래앞엉덩뼈가시
반전갈래 : 볼기뼈절구 위쪽모서리의 고랑

정지
무릎뼈 바닥, 일부는 무릎인대를 거쳐 정강뼈 거친면

지배신경
넙다리신경(L2~4)

기능
무릎관절 폄, 엉덩관절 굽힘, 골반 전방경사

폄이 안 될 때
넙다리네갈래근 테이핑 기법

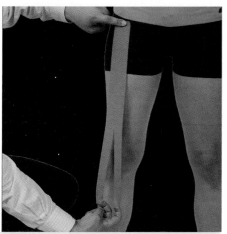

1. 테이프의 시작점을 위앞엉덩뼈가시(전상장골
극, ASIS)에 고정한다.

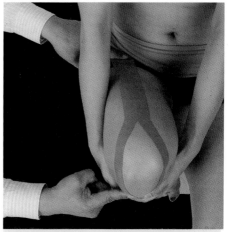

2. 무릎을 최대한 굽힌 자세에서 테이프의 양 끝
점을 무릎뼈(슬개골)를 감싸듯이 정강뼈 거친
면에 부착한다.

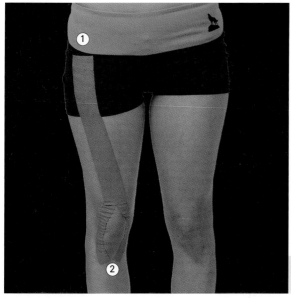

3. 완성 이미지(①위앞엉덩뼈가시~②정강
뼈 거친면)

2 중간넓은근(중간광근, Vastus intermedius)

중간넓은근은 넙다리네갈래근 중에서 가장 깊은부위에 있으며,
넙다리곧은근(대퇴직근) 바로 아래에 위치한다.

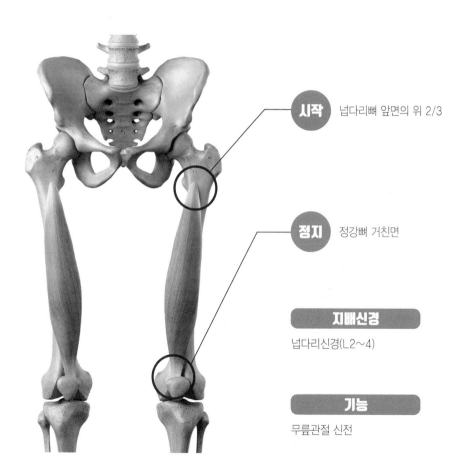

시작 넙다리뼈 앞면의 위 2/3

정지 정강뼈 거친면

지배신경
넙다리신경(L2~4)

기능
무릎관절 신전

3 안쪽넓은근(내측광근, Vastus medialis)

몸쪽의 긴갈래와 먼쪽의 빗갈래가 있다. 넙다리뼈 장축에 대해 긴갈래는
15~18도의 각도로 붙어 있고, 빗갈래는 50~55도의 각도로 붙어 있다.

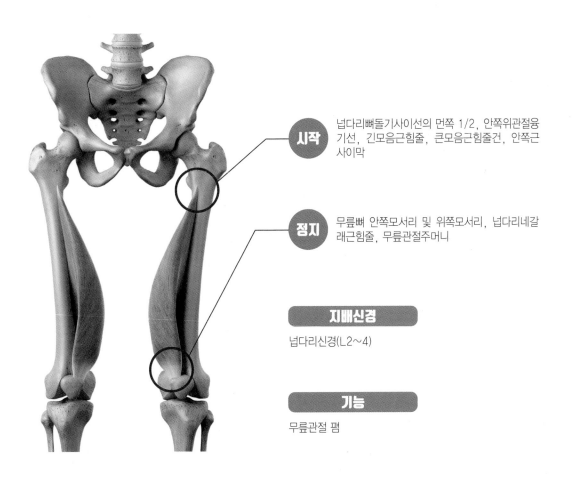

시작 넙다리뼈돌기사이선의 먼쪽 1/2, 안쪽위관절융
기선, 긴모음근힘줄, 큰모음근힘줄건, 안쪽근
사이막

정지 무릎뼈 안쪽모서리 및 위쪽모서리, 넙다리네갈
래근힘줄, 무릎관절주머니

지배신경

넙다리신경(L2~4)

기능

무릎관절 폄

4 / 가쪽넓은근(외측광근, Vastus lateralis)

넙다리네갈래근 중에서 가장 큰 근육으로, 넙다리 가쪽에서 근육의 융기를 만든다. 넙다리뼈 축에 대해 17도의 각도로 주행하며, 엉덩정강근막띠(장경인대) 깊은부위에서 아래쪽을 향한다.

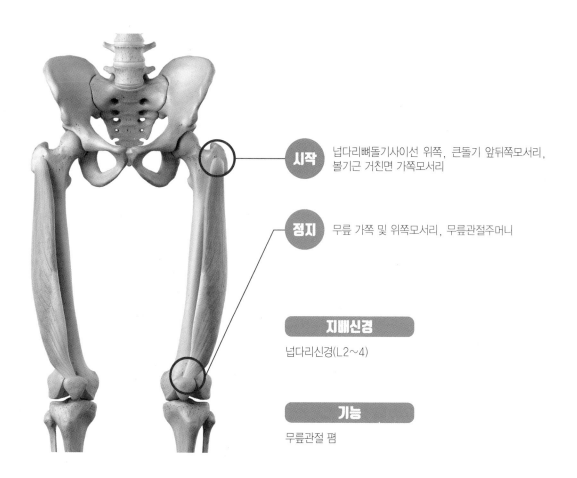

시작 넙다리뼈돌기사이선 위쪽, 큰돌기 앞뒤쪽모서리, 볼기근 거친면 가쪽모서리

정지 무릎 가쪽 및 위쪽모서리, 무릎관절주머니

지배신경

넙다리신경(L2~4)

기능

무릎관절 폄

3. 발목관절

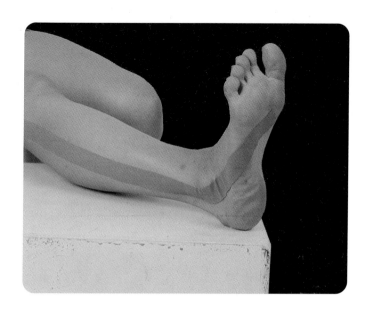

4 ROM, 6 Muscles	
ROM	작용근육
발등굽힘(배측굴곡)	앞정강근(전경골근)
발바닥굽힘(저측굴곡)	장딴지근(비복근)/가자미근(넙치근)
안쪽번짐(내번)	앞정강근(전경골근)/뒤정강근(후경골근)
가쪽번짐(외번)	긴종아리근(장비골근)/짧은종아리근(단비골근)
가자미근, 긴종아리근, 뒤정강근, 앞정강근 , 장딴지근, 짧은종아리근	

Memo

1) 발등/발바닥굽힘이 안 될 때

(1) ROM Test

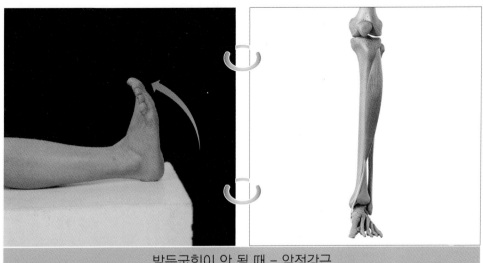

발등굽힘이 안 될 때 - 앞정강근

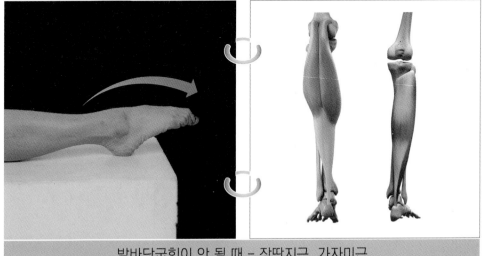

발바닥굽힘이 안 될 때 - 장딴지근, 가자미근

(2) 발등굽힘(배측굴곡, dorsiflexion)이 안 될 때

앞정강근(전경골근, Tibialis anterior)

정강뼈 가쪽에 있으며, 몸쪽의 근복은 두껍고 먼쪽의 근복은 힘줄 모양을 하고 있다. 근육섬유는 수직으로 하강하여 대퇴 먼쪽앞면에서 융기되어 힘줄이 된다.

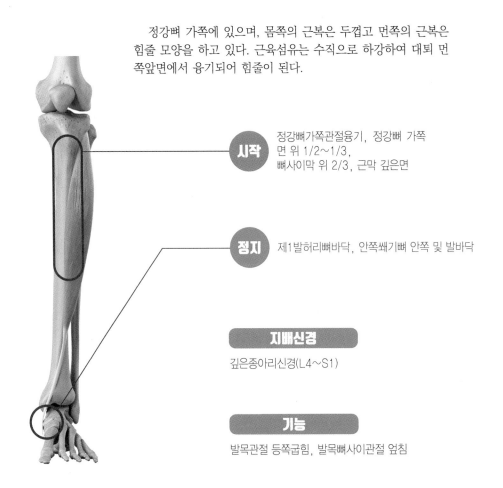

시작 정강뼈가쪽관절융기, 정강뼈 가쪽 면 위 1/2~1/3, 뼈사이막 위 2/3, 근막 깊은면

정지 제1발허리뼈바닥, 안쪽쐐기뼈 안쪽 및 발바닥

지배신경

깊은종아리신경(L4~S1)

기능

발목관절 등쪽굽힘, 발목뼈사이관절 엎침

발등굽힘이 안 될 때
앞정강근 테이핑 기법

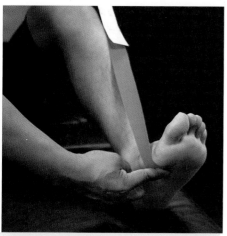

1. 테이프의 시작점을 발바닥의 제1발허리뼈(중족골)에 고정한다.

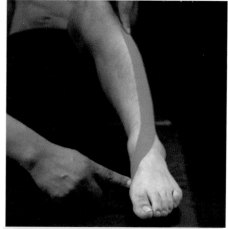

2. 발목을 최대한 발바닥굽힘(저측굴곡) 자세에서 테이프의 끝점을 반대편 발등 위의 앞정강근 힘줄을 따라 정강뼈 가쪽 관절융기(경골외과)에 부착한다.

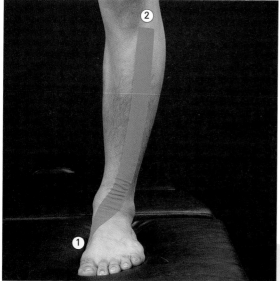

3. 완성 이미지(①제1발허리뼈~②정강뼈 가쪽 관절융기)

(3) 발바닥굽힘(저측굴곡, plantar flexion)이 안 될 때

1   장딴지근(비복근, Gastrocnemius)

종아리 뒤쪽에 있는 종아리세갈래근(하퇴삼두근) 안쪽표면에서 2갈래로 나누어진다. 안쪽갈래는 가쪽아래를, 가쪽갈래는 안쪽아래를 비스듬히 내려와 합쳐지면 넓고 두꺼운 힘줄이 된다.

시작
안쪽갈래 : 넙다리뼈 안쪽위관절융기 뒤쪽의 오목부위, 무릎관절주머니
가쪽갈래 : 넙다리뼈 안쪽위관절융기 뒤쪽, 무릎관절주머니

정지   아킬레스건 옆쪽 발꿈치뼈융기

지배신경
정강신경(S1~2)

기능
발목관절 바닥쪽굽힘, 발 뒤침, 무릎관절 굽힘

발바닥굽힘이 안 될 때 1
장딴지근 테이핑

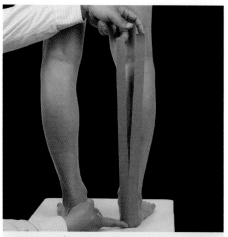

1. 테이프의 시작점을 발바닥의 발꿈치뼈(종골)에 고정한다.

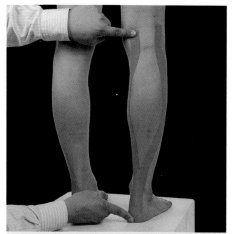

2. 발목을 최대한 발등쪽으로 굽힌 자세에서 테이프의 양 끝점을 장딴지근 안쪽 및 바깥쪽 모서리를 따라 감싸듯이 오금 위쪽에 부착한다.

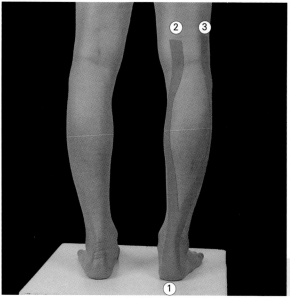

3. 완성 이미지(①발꿈치뼈~②안쪽 오금 위쪽/③바깥쪽 오금 위쪽)

② 가자미근(넙치근, Soleus)

종아리 뒤쪽 깊은부위에 있는 단(일)관절근으로, 종아리 세갈래근(하퇴삼두근) 중에서 가장 크다.

표면에 있는 장딴지근(비복근)과 함께 아킬레스건이 되어 발꿈치뼈융기(종골융기)에 부착된다.

시작 종아리뼈머리 뒷면, 정강뼈 뒷면 위 1/3, 가자미근선, 정강뼈 안쪽모서리 중앙 1/3

정지 가자미근 옆 발꿈치뼈융기

지배신경

정강신경(S1~2)

기능

발목관절 바닥쪽굽힘, 발 엎침 보조

발바닥굽힘이 안 될 때 2
가자미근 테이핑

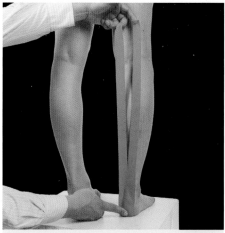

1. 테이프의 시작점을 발바닥의 발꿈치뼈(종골)에 고정한다.

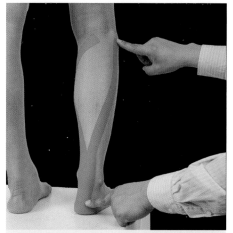

2. 발목을 최대한 발등쪽으로 굽힌 자세에서 테이프의 양 끝점을 가자미근 안쪽 및 바깥쪽 모서리를 따라 감싸듯이 종아리뼈머리(비골두) 방향으로 부착한다.

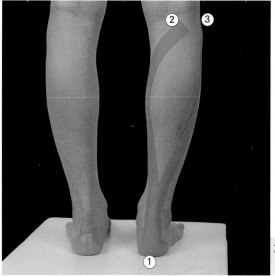

3. 완성 이미지(①발꿈치뼈~②종아리뼈머리 / ③종아리뼈머리)

발목관절 테이핑 비교

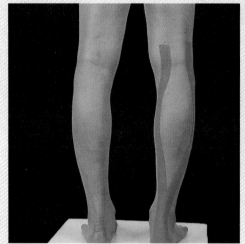

비복근 테이핑

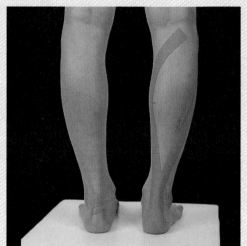

가자미근 테이핑

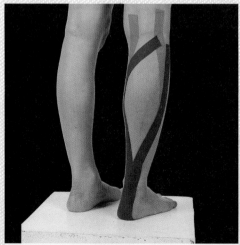

비복근과 가자미근 테이핑

2) 안쪽/가쪽번짐이 안 될 때

(1) ROM Test

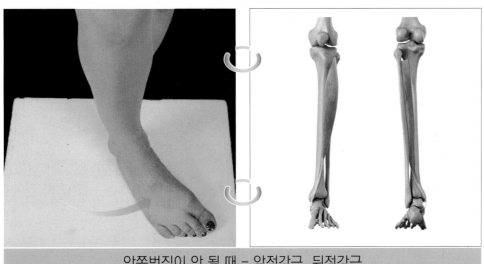

안쪽번짐이 안 될 때 – 앞정강근, 뒤정강근

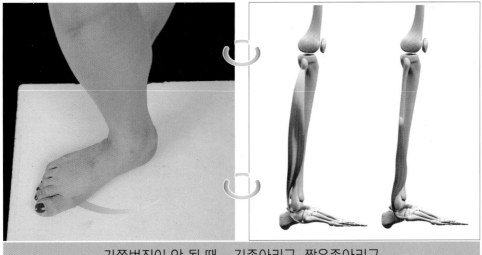

가쪽번짐이 안 될 때 – 긴종아리근, 짧은종아리근

(2) 안쪽번짐(내번, inversion)이 안 될 때

1 앞정강근(전경골근, Tibialis anterior)

정강뼈 가쪽에 있으며, 몸쪽의 근복은 두껍고 먼쪽의 근복은 힘줄 모양을 하고 있다. 근육섬유는 수직으로 하강하여 넙다리 먼쪽앞면에서 융기되어 힘줄이 된다.

시작 정강뼈가쪽관절융기, 정강뼈 가쪽면 위 1/2~1/3, 뼈사이막 위 2/3, 근막 깊은면

정지 제1발허리뼈바닥, 안쪽쐐기뼈 안쪽 및 발바닥

지배신경

깊은종아리신경(L4~S1)

기능

발목관절 발등굽힘, 발목뼈사이관절 엎침

안쪽번짐이 안 될 때 1
앞정강근 테이핑 기법

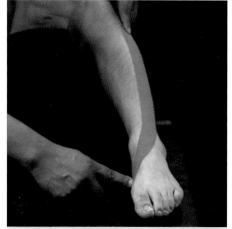

1. 테이프의 시작점을 발바닥의 제1발허리뼈(중족골)에 고정한다.

2. 발목을 최대한 발바닥굽힘(저측굴곡) 자세에서 테이프의 끝점을 반대편 발등 위의 앞정강근 힘줄을 따라 정강뼈 가쪽 관절융기(경골외과)에 부착한다.

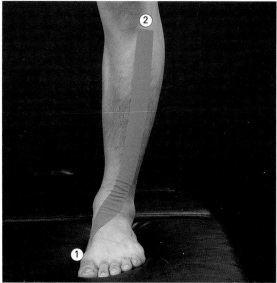

3. 완성 이미지(①제1발허리뼈~②정강뼈 가쪽 관절융기)

② 뒤정강근(후경골근, Tibialis posterior)

넙다리뼈사이막 뒷면에 있는 깃모양의 근육으로, 굽힘근 중에서 가장 깊은 부위에 있다.

종아리 뒤쪽위에서는 긴엄지굽힘근과 긴발가락굽힘근이 겹쳐진다.

시작 뼈사이막 아래부위를 제외한 뒷면, 정강뼈 뒷면 가쪽 몸쪽 2/3, 종아리뼈 안쪽 몸쪽 2/3, 근육사이막

정지 발배뼈 거친면, 3대의 쐐기뼈, 입방뼈, 제2~4 발허리뼈바닥

지배신경

정강신경(L5~S1)

기능

발 엎침, 발목관절 발바닥굽힘

안쪽번짐이 안 될 때 2
뒤정강근 테이핑 기법

1. 엎드려 누운 자세에서 테이프의 시작점을 발바닥의 제1발꿈치뼈(종골) 안쪽에 고정한다.

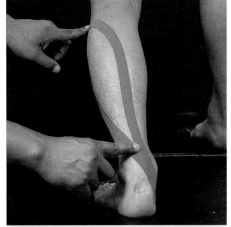

2. 발목을 최대한 발등쪽으로 굽히고 가쪽 번짐 자세에서 테이프를 안쪽복사뼈(내복사뼈) 뒤 방향으로 뒤로 감싸듯이 위 방향으로 붙인다. 테이프의 ②번 끝점은 뒤정강근을 안쪽으로 감싸면서 종아리뼈머리(비골두)에 부착한다.

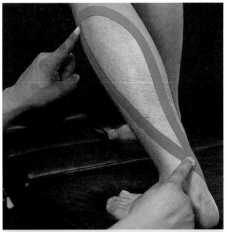

3. 테이프의 ③번 끝점은 뒤정강근을 바깥쪽으로 감싸면서 종아리뼈머리(비골두)에 부착한다.

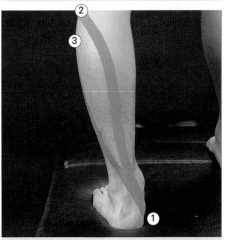

4. 완성 이미지(①제1발꿈치뼈~②종아리뼈머리/③종아리뼈머리)

(3) 가쪽번짐(외번, eversion)이 안 될 때

1 긴종아리근(장비골근, Fibularis longus)

종아리의 종아리뼈 몸쪽에서 짧은종아리근보다 표면에 있다. 근복은 길고 힘줄로 이행되고, 힘줄은 가쪽복사 뒤쪽을 돌아 발바닥을 가로질러 안쪽을 향한다.

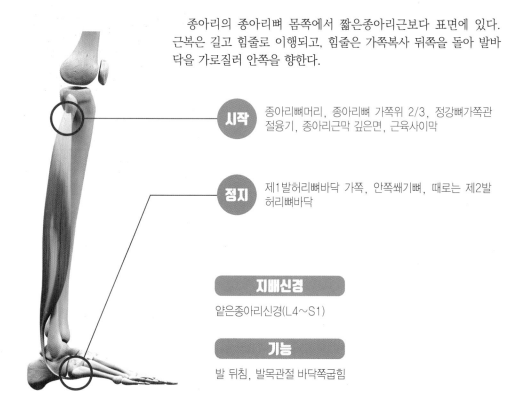

시작 종아리뼈머리, 종아리뼈 가쪽위 2/3, 정강뼈가쪽관절융기, 종아리근막 깊은면, 근육사이막

정지 제1발허리뼈바닥 가쪽, 안쪽쐐기뼈, 때로는 제2발허리뼈바닥

지배신경
얕은종아리신경(L4~S1)

기능
발 뒤침, 발목관절 바닥쪽굽힘

긴종아리근(Peroneus Longus)은 종아리뼈 가쪽면 위쪽에서 기시하여 제1발허리뼈와 제1쐐기뼈에 정지하며, 발목을 가쪽번짐시키고 발바닥굽힘을 보조한다. 짧은종아리근(Peroneus Brevis)은 종아리뼈 가쪽면 아래쪽에서 기시하여 제5발허리뼈에 정지하며, 발목을 가쪽번짐시키고 발바닥굽힘을 보조한다. 따라서 발목관절의 가쪽번짐이 안 될 때는 긴종아리근의 정지부와 짧은종아리근의 정지부를 감싸면서 긴종아리근의 기시부 방향으로 테이핑한다.

가쪽번짐이 안 될 때
긴/짧은종아리근 테이핑기법

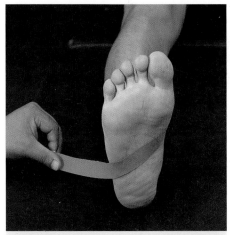

1. 테이프의 시작점을 발바닥의 제1발허리뼈(중족골)에 고정한다.

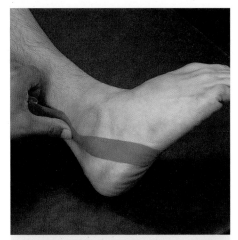

2. 발목을 최대한 발바닥쪽으로 굽히고 안쪽번짐 자세에서 테이프를 바깥복사뼈(외복사뼈) 아래(바깥) 방향으로 뒤로 감싸듯이 위 방향으로 붙여나간다.

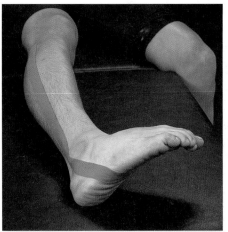

3. 테이프의 끝점을 종아리뼈머리(비골두)에 부착한다.

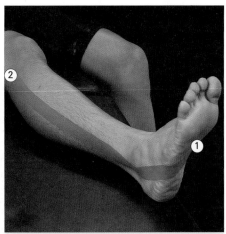

4. 완성 이미지(①제1발허리뼈~②종아리뼈머리)

② 짧은종아리근(단비골근, Fibularis brevis)

긴종아리근 깊은부위에서 긴발가락굽힘근 뒤쪽에 있다. 근복은 수직으로 내려가 힘줄이 되어 가쪽복사 뒤쪽을 돌아 발꿈치뼈 가쪽을 통과하여 제5발허리뼈로 나아간다.

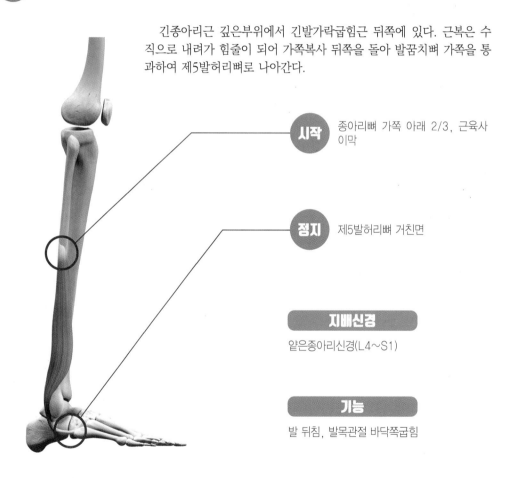

시작 종아리뼈 가쪽 아래 2/3, 근육사이막

정지 제5발허리뼈 거친면

지배신경
얕은종아리신경(L4~S1)

기능
발 뒤침, 발목관절 바닥쪽굽힘

발목관절 테이핑 비교

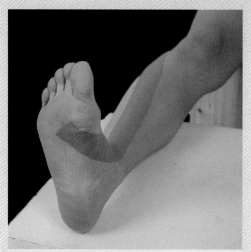

앞정강근 테이핑

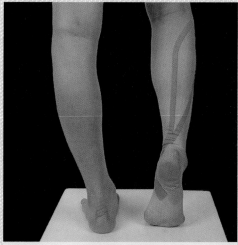

뒤정강근 테이핑

4. 발가락관절

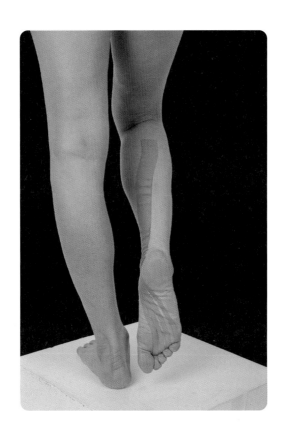

2 ROM, 2 Muscles	
ROM	작용근육
굽힘(굴곡)	긴발가락굽힘근(장지굴근)
폄(신전)	긴발가락폄근(장지신근)
긴발가락굽힘근, 긴발가락폄근	

1) 굽힘과 폄이 안 될 때

(1) ROM Test

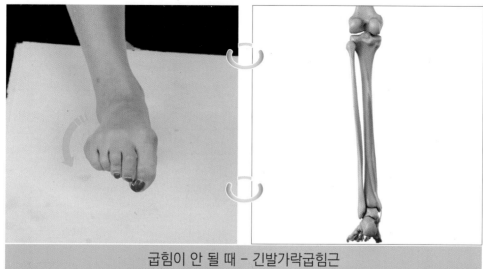

굽힘이 안 될 때 – 긴발가락굽힘근

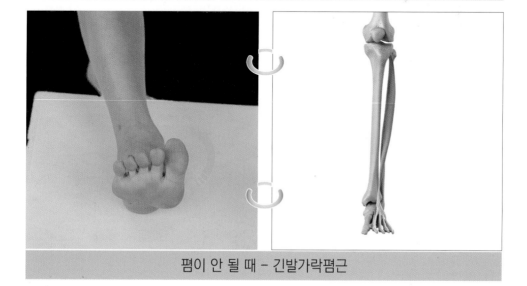

폄이 안 될 때 – 긴발가락폄근

(2) 굽힘(굴곡, flexion)이 안 될 때

긴발가락굽힘근(장지굴근, Flexor digitorum longus)

종아리 아래쪽 깊은부위, 가자미근 바로 아래쪽의 긴엄지굽힘근 안쪽에 있다. 아래로 내려가면 커진다. 부착 힘줄은 거의 근육 전체 길이이다.

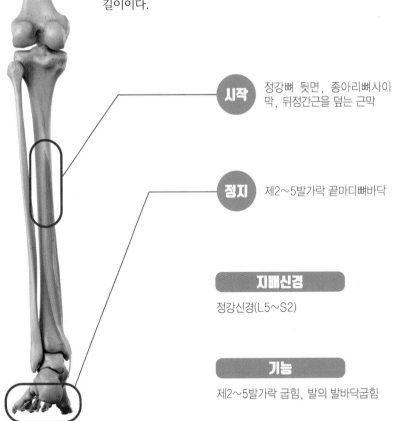

시작 정강뼈 뒷면, 종아리뼈사이막, 뒤정강근을 덮는 근막

정지 제2~5발가락 끝마디뼈바닥

지배신경
정강신경(L5~S2)

기능
제2~5발가락 굽힘, 발의 발바닥굽힘

굽힘이 안 될 때
긴발가락굽힘근 테이핑 기법

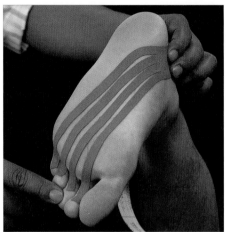

1. 엎드려 누운 자세에서 테이프의 시작점을 발 바닥의 둘째~다섯째 발가락에 고정한다.

2. 발목을 최대한 발등굽힘(배측굴곡)하고 발가락 을 편 자세에서 테이프의 끝점을 정강뼈(경골) 안쪽 모서리를 따라 정강뼈(경골) 몸쪽(근위) 1/3지점에 부착한다.

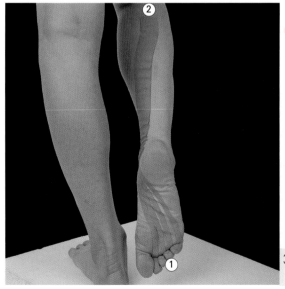

3. 완성 이미지(①둘째~다섯째발가락~②정강 뼈 안쪽모서리)

(3) 폄(신전, extension)이 안 될 때

긴발가락폄근(장지신근, Extensor digitorum longus)

종아리 앞면가쪽에 있으며, 앞정강근 가쪽을 따라 내려간다. 먼쪽에서는 4가닥의 힘줄로 나누어지며, 제2~5발가락의 발등쪽에서 힘줄이 넓어진다.

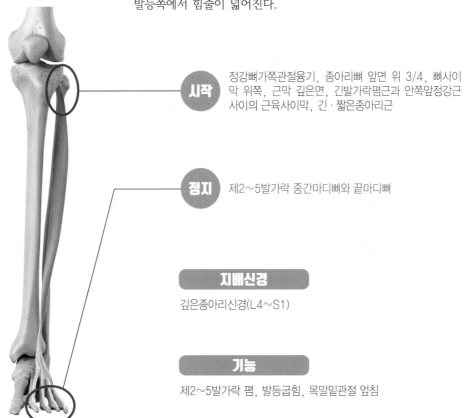

시작 정강뼈가쪽관절융기, 종아리뼈 앞면 위 3/4, 뼈사이막 위쪽, 근막 깊은면, 긴발가락폄근과 안쪽앞정강근 사이의 근육사이막, 긴·짧은종아리근

정지 제2~5발가락 중간마디뼈와 끝마디뼈

지배신경

깊은종아리신경(L4~S1)

기능

제2~5발가락 폄, 발등굽힘, 목말밑관절 엎침

펴이 안 될 때
긴발가락폄근 테이핑 기법

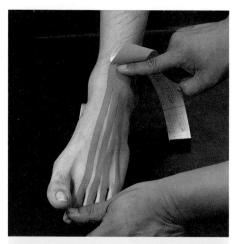

1. 테이프의 시작점을 발등의 둘째~다섯째 발가락에 고정한다.

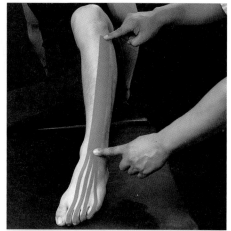

2. 발목을 최대한 발바닥굽힘(저측굴곡)하고 발가락을 굽힌 자세에서 테이프의 끝점을 정강뼈(경골) 가쪽모서리를 따라 정강뼈(경골) 가쪽융기(외측과)에 부착한다.

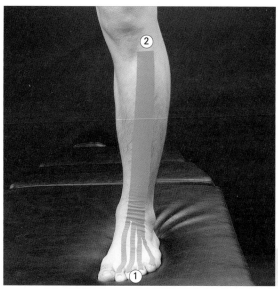

3. 완성 이미지(①둘째~다섯째발가락~②정강뼈 가쪽융기)

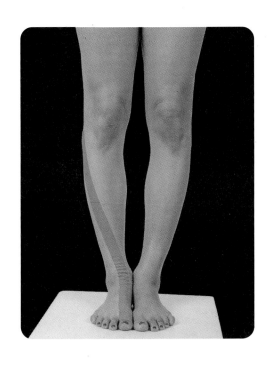

2 ROM, 2 Muscles	
ROM	작용근육
굽힘(굴곡)	긴엄지발가락굽힘근(장모지굴근)
폄(신전)	긴엄지발가락폄근(장모지신근)
긴엄지발가락굽힘근, 긴엄지발가락폄근	

　영문(라틴어) 표현으로는 엄지손가락은 Pollicis, 엄지발가락은 Hallucis로 구분이 명확하다. 그러나 국문으로는 모지, 무지 등이 혼용되고 있다. 이 책에서는 엄지손가락에 관련된 개정 전 명칭은 무지로, 엄지발가락에 관련된 개정 전 명칭은 모지로 정리한다.

1) 굽힘과 폄이 안 될 때

(1) ROM Test

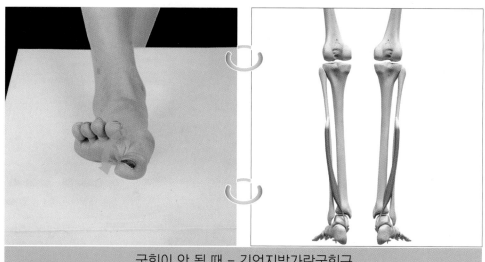

굽힘이 안 될 때 – 긴엄지발가락굽힘근

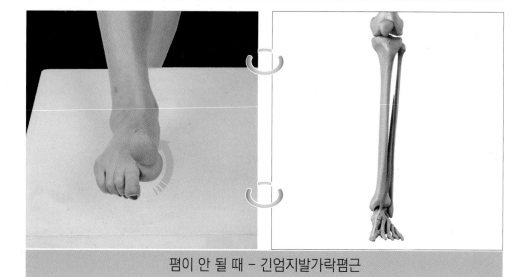

폄이 안 될 때 – 긴엄지발가락폄근

(2) 굽힘(굴곡, flexion)이 안 될 때

긴엄지발가락굽힘근(장무지굴근, Flexor hallucis longus)

종아리 가쪽 깊은부위에서 근육섬유는 비스듬히 아래쪽으로 주행하며, 긴 힘줄과 이웃하고 있다. 힘줄은 정강뼈 말단, 목말뼈(거골), 발꿈치뼈(종골) 아랫면을 넘어 발바닥쪽 엄지발가락을 향한다.

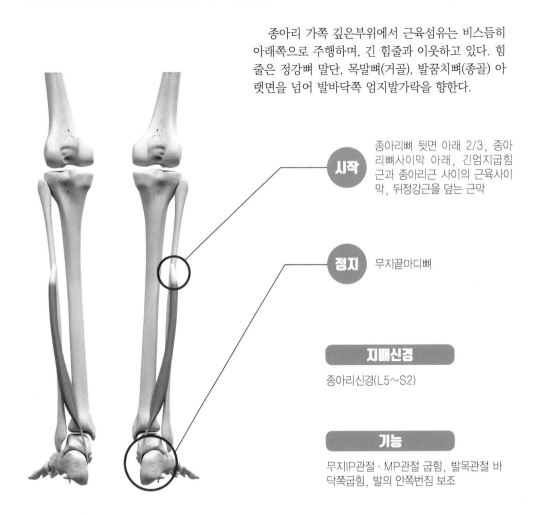

시작 종아리뼈 뒷면 아래 2/3, 종아리뼈사이막 아래, 긴엄지굽힘근과 종아리근 사이의 근육사이막, 뒤정강근을 덮는 근막

정지 무지끝마디뼈

지배신경

종아리신경(L5~S2)

기능

무지IP관절 · MP관절 굽힘, 발목관절 바닥쪽굽힘, 발의 안쪽번짐 보조

굽힘이 안 될 때
긴엄지발가락굽힘근 테이핑 기법

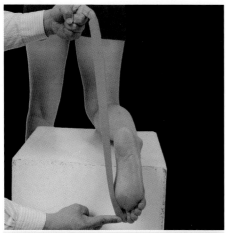

1. 테이프의 시작점을 발바닥의 엄지발가락 끝에 고정한다.

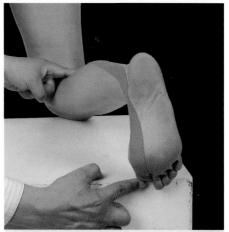

2. 발목을 최대한 발등굽힘(배측굴곡)하고 엄지발가락을 편 자세에서 테이프의 끝점을 안쪽복사뼈(내복사뼈) 아래로 감싸듯이 위쪽 방향으로 붙여 종아리뼈(비골) 뒷면에 부착한다.

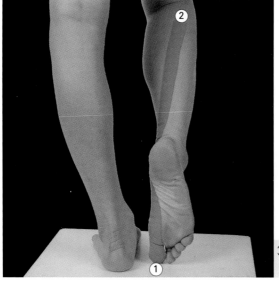

3. 완성 이미지(①엄지발가락끝~②종아리뼈 뒷면)

(3) 폄(신전, extension)이 안 될 때

긴엄지발가락폄근(장무지신근, Extensor hallucis longus)

앞정강근·긴발가락폄근을 덮으며, 종아리뼈사이막 앞쪽을 가쪽에 안쪽으로 주행한다.
힘줄은 종아리 먼쪽 2/3에 이르는 표면에 드러난다.

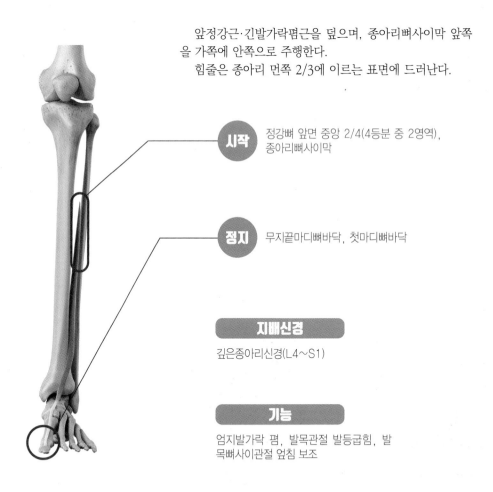

시작 정강뼈 앞면 중앙 2/4(4등분 중 2영역),
종아리뼈사이막

정지 무지끝마디뼈바닥, 첫마디뼈바닥

지배신경

깊은종아리신경(L4~S1)

기능

엄지발가락 폄, 발목관절 발등굽힘, 발
목뼈사이관절 엎침 보조

폄이 안 될 때
긴엄지발가락폄근 테이핑 기법

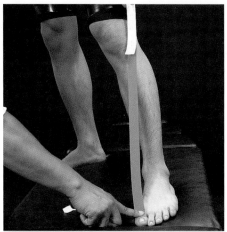

1. 테이프의 시작점을 발등의 엄지발가락 끝에 고정한다.

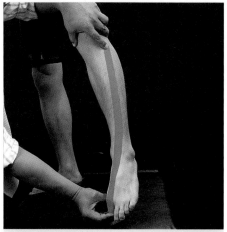

2. 발목을 최대한 발바닥굽힘(저측굴곡)하고 엄지 발가락을 굽힌 자세에서 테이프의 끝점을 정강 뼈(경골) 가쪽융기(외과)에 부착한다.

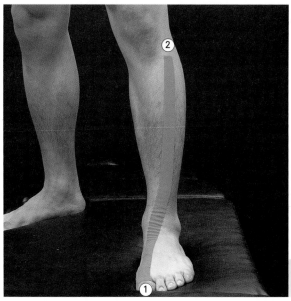

3. 완성 이미지(①엄지발가락 끝~②정강뼈 가쪽융기)

엄지발가락관절 테이핑 비교

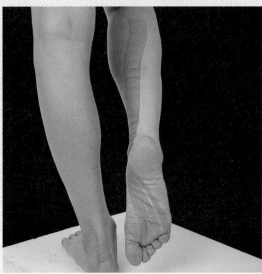

긴발가락굽힘근 테이핑

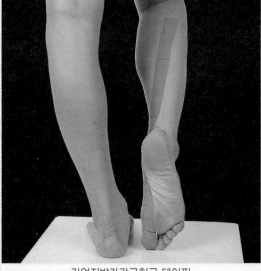

긴엄지발가락굽힘근 테이핑

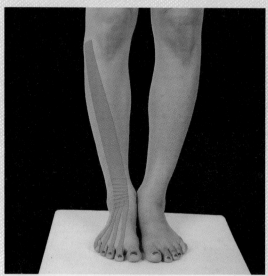

긴발가락폄근 테이핑

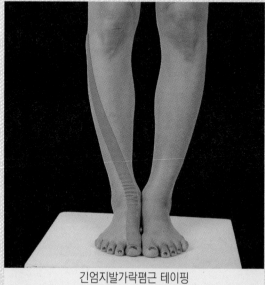

긴엄지발가락폄근 테이핑

Motion Taping 분석표

피검자 성명 : _____　　성별 : _____

가동성에 제한이 있으면 □칸에 √표를 하시오.

검사일자 : _____　　연령 : _____

상체의 ROM Test

목관절

	굽힘	폄	
□	양쪽 목빗근	위등세모근/뒤목근	□
□	왼쪽가쪽굽힘	오른쪽가쪽굽힘	□
	왼쪽 앞목갈비근/중간목갈비근	오른쪽 앞목갈비근/중간목갈비근	
□	왼쪽돌림	오른쪽돌림	□
	오른쪽 목빗근	왼쪽 목빗근	

어깨관절

	굽힘	폄	
□	앞어깨세모근/부리위팔근	뒤어깨세모근/넓은등근/큰원근	□
□	모음	벌림	□
	큰가슴근/넓은등근	중간어깨세모근/가시위근	
□	안쪽돌림	가쪽돌림	□
	넓은등근/큰원근/큰가슴근	가시아래근/작은원근	
□	수평모음	수평벌림	□
	큰가슴근	뒤어깨세모근	

어깨가슴관절

	내밈	들임	
□	앞톱니근/작은가슴근	중간등세모근/마름근	□
□	올림	내림	□
	위등세모근/어깨올림근	아래등세모근/작은가슴근	
□	위쪽돌림	아래쪽돌림	□
	위등세모근/아래등세모근/앞톱니근	마름근/어깨올림근/작은가슴근	

손가락관절

	굽힘	폄	
□	얕은·깊은손가락굽힘근	손가락폄근/집게폄근/새끼폄근	□

팔꿉관절

	굽힘	폄	
□	위팔두갈래근	위팔세갈래근	□
□	엎침	뒤침	□
	엎침근	뒤침근/위팔두갈래근	

가슴허리관절

	굽힘	폄	
□	배곧은근	척주세움근	□
□	왼쪽가쪽굽힘	오른쪽가쪽굽힘	□
	왼쪽 허리네모근	오른쪽 허리네모근	
□	왼쪽돌림	오른쪽돌림	□
	오른쪽 배바깥빗근/왼쪽 내속빗근	왼쪽 배바깥빗근/오른쪽 배속빗근	

손목관절

	굽힘	폄	
□	노쪽·자쪽손목굽힘근/긴손바닥근	긴노쪽손목폄근/자쪽손목폄근	□
□	노쪽굽힘	자쪽굽힘	□
	긴노쪽손목폄근/노쪽손목굽힘근	자쪽손목굽힘근/자쪽손목폄근	

엄지손가락관절

	굽힘	폄	
□	긴엄지굽힘근/짧은엄지굽힘근	긴엄지폄근/짧은엄지폄근	□
□	모음	벌림	
	엄지모음근	긴엄지벌림근	
□	맞섬		
	엄지맞섬근		

하체의 ROM Test

엉덩관절

	굽힘	폄	
□	큰허리근	큰볼기근	□
□	모음	벌림	□
	큰모음근	중간볼기근/넙다리근막긴장근	
□	안쪽돌림	가쪽돌림	□
	두덩근/넙다리근막긴장근	궁둥구멍근/넙다리빗근	

무릎관절

	굽힘	폄	
□	뒤넙다리근	넙다리네갈래근	□

발목관절

	발등굽힘	발바닥굽힘	
□	앞정강근	장딴지근/가자미근	□
□	안쪽번짐	가쪽번짐	□
	앞정강근/뒤정강근	긴종아리근/짧은종아리근	

발가락관절

	굽힘	폄	
□	긴발가락굽힘근	긴발가락폄근	□

엄지발가락관절

	굽힘	폄	
□	긴엄지발가락굽힘근	긴엄지발가락폄근	□

※직업적·행동적 특성은 별도 기재

검사자 : _____ (서명)

Motion Taping 분석표

피검자 성명 : _____ 성별 : _____

가동성에 제한이 있으면 □ 칸에 √표를 하시오.

검사일자 : _____ 연령 : _____

상체의 ROM Test

목관절		
□	굽힘	폄	□
	양쪽 목빗근	위등세모근/뒤목근	
□	왼쪽가쪽굽힘	오른쪽가쪽굽힘	□
	왼쪽 앞목갈비근/중간목갈비근	오른쪽 앞목갈비근/중간목갈비근	
□	왼쪽돌림	오른쪽돌림	□
	오른쪽 목빗근	왼쪽 목빗근	

어깨관절		
□	굽힘	폄	□
	앞어깨세모근/부리위팔근	뒤어깨세모근/넓은등근/큰원근	
□	모음	벌림	□
	큰가슴근/넓은등근	중간어깨세모근/가시위근	
□	안쪽돌림	가쪽돌림	□
	넓은등근/큰원근/큰가슴근	가시아래근/작은원근	
□	수평모음	수평벌림	□
	큰가슴근	뒤어깨세모근	

어깨가슴관절		
□	내밈	들임	□
	앞톱니근/작은가슴근	중간등세모근/마름근	
□	올림	내림	□
	위등세모근/어깨올림근	아래등세모근/작은가슴근	
□	위쪽돌림	아래쪽돌림	□
	위등세모근/아래등세모근/앞톱니근	마름근/어깨올림근/작은가슴근	

손가락관절		
□	굽힘	폄	□
	얕은·깊은손가락굽힘근	손가락폄근/집게폄근/새끼폄근	

팔꿉관절		
□	굽힘	폄	□
	위팔두갈래근	위팔세갈래근	
□	엎침	뒤침	□
	엎침근	뒤침근/위팔두갈래근	

가슴허리관절		
□	굽힘	폄	□
	배곧은근	척주세움근	
□	왼쪽가쪽굽힘	오른쪽가쪽굽힘	□
	왼쪽 허리네모근	오른쪽 허리네모근	
□	왼쪽돌림	오른쪽돌림	□
	오른쪽 배바깥빗근/왼쪽 내속빗근	왼쪽 배바깥빗근/오른쪽 배속빗근	

손목관절		
□	굽힘	폄	□
	노쪽·자쪽손목굽힘근/긴손바닥근	긴노쪽손목폄근/자쪽손목폄근	
□	노쪽굽힘	자쪽굽힘	□
	긴노쪽손목폄근/노쪽손목굽힘근	자쪽손목굽힘근/자쪽손목폄근	

엄지손가락관절		
□	굽힘	폄	□
	긴엄지굽힘근/짧은엄지굽힘근	긴엄지폄근/짧은엄지폄근	
□	모음	벌림	□
	엄지모음근	긴엄지벌림근	
□	맞섬		
	엄지맞섬근		

하체의 ROM Test

엉덩관절		
□	굽힘	폄	□
	큰허리근	큰볼기근	
□	모음	벌림	□
	큰모음근	중간볼기근/넙다리근막긴장근	
□	안쪽돌림	가쪽돌림	□
	두덩근/넙다리근막긴장근	궁둥구멍근/넙다리빗근	

무릎관절		
□	굽힘	폄	□
	뒤넙다리근	넙다리네갈래근	

발목관절		
□	발등굽힘	발바닥굽힘	□
	앞정강근	장딴지근/가자미근	
□	안쪽번짐	가쪽번짐	□
	앞정강근/뒤정강근	긴종아리근/짧은종아리근	

발가락관절		
□	굽힘	폄	□
	긴발가락굽힘근	긴발가락폄근	

엄지발가락관절		
□	굽힘	폄	□
	긴엄지발가락굽힘근	긴엄지발가락폄근	

※직업적·행동적 특성은 별도 기재

검사자 : _____ (서명)

Motion Taping 분석표

피검자 성명 : _____ 성별 : _____

가동성에 제한이 있으면 □칸에 √표를 하시오.

검사일자 : _____ 연령 : _____

상체의 ROM Test

	목관절		
□	굽힘 양쪽 목빗근	폄 위등세모근/뒤목근	□
□	왼쪽가쪽굽힘 왼쪽 앞목갈비근/중간목갈비근	오른쪽가쪽굽힘 오른쪽 앞목갈비근/중간목갈비근	□
□	왼쪽돌림 오른쪽 목빗근	오른쪽돌림 왼쪽 목빗근	

	어깨관절		
□	굽힘 앞어깨세모근/부리위팔근	폄 뒤어깨세모근/넓은등근/큰원근	□
□	모음 큰가슴근/넓은등근	벌림 중간어깨세모근/가시위근	□
□	안쪽돌림 넓은등근/큰원근/큰가슴근	가쪽돌림 가시아래근/작은원근	□
□	수평모음 큰가슴근	수평벌림 뒤어깨세모근	□

	어깨가슴관절		
□	내밈 앞톱니근/작은가슴	들임 중간등세모근/마름근	□
□	올림 위등세모근/어깨올림근	내림 아래등세모근/작은가슴근	□
□	위쪽돌림 위등세모근/아래등세모근/앞톱니근	아래쪽돌림 마름근/어깨올림근/작은가슴근	□

	손가락관절		
□	굽힘 얕은·깊은손가락굽힘근	폄 손가락폄근/집게폄근/새끼폄근	□

	팔꿉관절		
□	굽힘 위팔두갈래근	폄 위팔세갈래근	□
□	엎침 엎침근	뒤침 뒤침근/위팔두갈래근	□

	가슴허리관절		
□	굽힘 배곧은근	폄 척주세움근	□
□	왼쪽가쪽굽힘 왼쪽 허리네모근	오른쪽가쪽굽힘 오른쪽 허리네모근	□
□	왼쪽돌림 오른쪽 배바깥빗근/왼쪽 내속빗근	오른쪽돌림 왼쪽 배바깥빗근/오른쪽 배속빗근	□

	손목관절		
□	굽힘 노쪽·자쪽손목굽힘근/긴손바닥	폄 긴노쪽손목폄근/자쪽손목폄근	□
□	노쪽굽힘 긴노쪽손목폄근/노쪽손목굽힘근	자쪽굽힘 자쪽손목굽힘근/자쪽손목폄근	□

	엄지손가락관절		
□	굽힘 긴엄지굽힘근/짧은엄지굽힘근	폄 긴엄지폄근/짧은엄지폄근	□
□	모음 엄지모음근	벌림 긴엄지벌림근	
□	맞섬 엄지맞섬근		

하체의 ROM Test

	엉덩관절		
□	굽힘 큰허리근	폄 큰볼기근	□
□	모음 큰모음근	벌림 중간볼기근/넙다리근막긴장근	□
□	안쪽돌림 두덩근/넙다리근막긴장근	가쪽돌림 궁둥구멍근/넙다리빗근	□

	무릎관절		
□	굽힘 뒤넙다리근	폄 넙다리네갈래근	□

	발목관절		
□	발등굽힘 앞정강근	발바닥굽힘 장딴지근/가자미근	□
□	안쪽번짐 앞정강근/뒤정강근	가쪽번짐 긴종아리근/짧은종아리근	□

	발가락관절		
□	굽힘 긴발가락굽힘근	폄 긴발가락폄근	□

	엄지발가락관절		
□	굽힘 긴엄지발가락굽힘근	폄 긴엄지발가락폄근	□

※직업적·행동적 특성은 별도 기재

검사자 : _____ (서명)

Motion Taping 분석표

가동성에 제한이 있으면 □칸에 √표를 하시오.

피검자 성명 : _____ 성별 : _____

검사일자 : _____ 연령 : _____

상체의 ROM Test

목관절

□	굽힘	폄	□
	양쪽 목빗근	위등세모근/뒤목근	
□	왼쪽가쪽굽힘	오른쪽가쪽굽힘	□
	왼쪽 앞목갈비근/중간목갈비근	오른쪽 앞목갈비근/중간목갈비근	
□	왼쪽돌림	오른쪽돌림	
	오른쪽 목빗근	왼쪽 목빗근	

어깨관절

□	굽힘	폄	□
	앞어깨세모근/부리위팔근	뒤어깨세모근/넓은등근/큰원근	
□	모음	벌림	□
	큰가슴근/넓은등근	중간어깨세모근/가시위근	
□	안쪽돌림	가쪽돌림	□
	넓은등근/큰원근/큰가슴근	가시아래근/작은원근	
□	수평모음	수평벌림	□
	큰가슴근	뒤어깨세모근	

어깨가슴관절

□	내밈	들임	□
	앞톱니근/작은가슴근	중간등세모근/마름근	
□	올림	내림	□
	위등세모근/어깨올림근	아래등세모근/작은가슴근	
□	위쪽돌림	아래쪽돌림	□
	위등세모근/아래등세모근/앞톱니근	마름근/어깨올림근/작은가슴근	

손가락관절

□	굽힘	폄	□
	얕은·깊은손가락굽힘근	손가락폄근/집게폄근/새끼폄근	

팔꿉관절

□	굽힘	폄	□
	위팔두갈래근	위팔세갈래근	
□	엎침	뒤침	□
	엎침근	뒤침근/위팔두갈래근	

가슴허리관절

□	굽힘	폄	
	배곧은근	척주세움근	
□	왼쪽가쪽굽힘	오른쪽가쪽굽힘	□
	왼쪽 허리네모근	오른쪽 허리네모근	
□	왼쪽돌림	오른쪽돌림	□
	오른쪽 배바깥빗근/왼쪽 내속빗근	왼쪽 배바깥빗근/오른쪽 배속빗근	

손목관절

□	굽힘	폄	□
	노쪽·자쪽손목굽힘근/긴손바닥근	긴노쪽손목폄근/자쪽손목폄근	
□	노쪽굽힘	자쪽굽힘	
	긴노쪽손목폄근/노쪽손목굽힘근	자쪽손목굽힘근/자쪽손목폄근	

엄지손가락관절

□	굽힘	폄	□
	긴엄지굽힘근/짧은엄지굽힘근	긴엄지폄근/짧은엄지폄근	
□	모음	벌림	
	엄지모음근	긴엄지벌림근	
□	맞섬		
	엄지맞섬근		

하체의 ROM Test

엉덩관절

□	굽힘	폄	□
	큰허리근	큰볼기근	
□	모음	벌림	□
	큰모음근	중간볼기근/넙다리근막긴장근	
□	안쪽돌림	가쪽돌림	□
	두덩근/넙다리근막긴장근	궁둥구멍근/넙다리빗근	

무릎관절

□	굽힘	폄	□
	뒤넙다리근	넙다리네갈래근	

발목관절

□	발등굽힘	발바닥굽힘	□
	앞정강근	장딴지근/가자미근	
□	안쪽번짐	가쪽번짐	□
	앞정강근/뒤정강근	긴종아리근/짧은종아리근	

발가락관절

□	굽힘	폄	□
	긴발가락굽힘근	긴발가락폄근	

엄지발가락관절

□	굽힘	폄	□
	긴엄지발가락굽힘근	긴엄지발가락폄근	

※직업적·행동적 특성은 별도 기재

검사자 : _____ (서명)

Motion Taping 분석표

피검자 성명 : _____ 성별 : _____

가동성에 제한이 있으면 □칸에 √표를 하시오.

검사일자 : _____ 연령 : _____

상체의 ROM Test

	목관절		
□	굽힘 양쪽 목빗근	폄 위등세모근/뒤목근	□
□	왼쪽가쪽굽힘 왼쪽 앞목갈비근/중간목갈비근	오른쪽가쪽굽힘 오른쪽 앞목갈비근/중간목갈비근	□
□	왼쪽돌림 오른쪽 목빗근	오른쪽돌림 왼쪽 목빗근	□

	어깨관절		
□	굽힘 앞어깨세모근/부리위팔근	폄 뒤어깨세모근/넓은등근/큰원근	□
□	모음 큰가슴근/넓은등근	벌림 중간어깨세모근/가시위근	□
□	안쪽돌림 넓은등근/큰원근/큰가슴근	가쪽돌림 가시아래근/작은원근	□
□	수평모음 큰가슴근	수평벌림 뒤어깨세모근	□

	어깨가슴관절		
□	내림 앞톱니근/작은가슴근	들임 중간등세모근/마름근	□
□	올림 위등세모근/어깨올림근	내림 아래등세모근/작은가슴근	□
□	위쪽돌림 위등세모근/아래등세모근/앞톱니근	아래쪽돌림 마름근/어깨올림근/작은가슴근	□

	손가락관절		
□	굽힘 얕은·깊은손가락굽힘근	폄 손가락폄근/집게폄근/새끼폄근	□

	팔꿉관절		
□	굽힘 위팔두갈래근	폄 위팔세갈래근	□
□	엎침 엎침근	뒤침 뒤침근/위팔두갈래근	□

	가슴허리관절		
□	굽힘 배곧은근	폄 척주세움근	
□	왼쪽가쪽굽힘 왼쪽 허리네모근	오른쪽가쪽굽힘 오른쪽 허리네모근	□
□	왼쪽돌림 오른쪽 배바깥빗근/왼쪽 내속빗근	오른쪽돌림 왼쪽 배바깥빗근/오른쪽 배속빗근	□

	손목관절		
□	굽힘 노쪽·자쪽손목굽힘근/긴손바닥근	폄 긴노쪽손목폄근/자쪽손목폄근	
□	노쪽굽힘 긴노쪽손목폄근/노쪽손목굽힘근	자쪽굽힘 자쪽손목굽힘근/자쪽손목폄근	

	엄지손가락관절		
□	굽힘 긴엄지굽힘근/짧은엄지굽힘근	폄 긴엄지폄근/짧은엄지폄근	□
□	모음 엄지모음근	벌림 긴엄지벌림근	□
□	맞섬 엄지맞섬근		

하체의 ROM Test

	엉덩관절		
□	굽힘 큰허리근	폄 큰볼기근	□
□	모음 큰모음근	벌림 중간볼기근/넙다리근막긴장근	□
□	안쪽돌림 두덩근/넙다리근막긴장근	가쪽돌림 궁둥구멍근/넙다리빗근	□

	무릎관절		
□	굽힘 뒤넙다리근	폄 넙다리네갈래근	□

	발목관절		
□	발등굽힘 앞정강근	발바닥굽힘 장딴지근/가자미근	□
□	안쪽번짐 앞정강근/뒤정강근	가쪽번짐 긴종아리근/짧은종아리근	□

	발가락관절		
□	굽힘 긴발가락굽힘근	폄 긴발가락폄근	□

	엄지발가락관절		
□	굽힘 긴엄지발가락굽힘근	폄 긴엄지발가락폄근	□

※직업적·행동적 특성은 별도 기재

검사자 : _____ (서명)

집 | 필 | 진
(가나다 순)

서 형 선

광화의료재단 러스크병원 도수치료팀 팀장
국제뉴튼아카데미 이사
한국뇌졸중장애인협회 자문위원
✉ shssling@gmail.com

유 현 종

선한사람들 테이핑봉사회 회장
A.B.C. Self Care Society 회장
다문화 모션테이핑봉사회 회장
✉ jxpia@naver.com

이 찬 형

명지대학교 미래교육원 건강관리 주임교수
자연치유산업연구소 이사
前) 은평구 평생학습관 관장
✉ mmuscle@mju.ac.kr

정 의 윤

스포밴드주식회사 대표이사
前) 명지대학교 미래교육원 지도교수
前) 한국체육대학교 사회체육과 객원교수
✉ lrcamp@naver.com

주 애 란

상명대학교 스포츠건강관리학과 객원교수
한국건강운동요가협회 회장
前) 에어로빅체조 국가대표
✉ j--sol@naver.com

심 재 평

원광디지털대학교 태권도스포츠재활학과 겸임교수
前) 한국열린사이버대학교 뷰티건강디자인학과 교수
前) 고려대학교 의과대학 통합의학연구소 연구원
✉ simboom@hanmail.net

이 진 욱

단국대학교 국제스포츠학부 운동처방재활전공 교수
대한럭비협회 이사
대한비만학회 운동분과위원
✉ 12180386@dankook.ac.kr

장 지 훈

가톨릭관동대학교 스포츠레저학과 교수
대한스포츠의학회 · 대한선수트레이너협회 이사
前) 대한장애인체육회 경기력향상위원회 부위원장
✉ jjh@cku.ac.kr

조 태 용

광화의료재단 러스크병원 운동센터 센터장
명지대학교 일반대학원 융합헬스케어학과 객원교수
열린사이버대학교 뷰티건강디자인학과 객원교수
✉ pt10138@naver.com